U0064360

劉福春・李怡 主編

民國文學珍稀文獻集成

第二輯

新詩舊集影印叢編　第59冊

【蔣光慈卷】

戰鼓

上海：北新書局 1929 年 6 月版

蔣光慈　著

花木蘭文化事業有限公司

國家圖書館出版品預行編目資料

戰鼓／蔣光慈　著—初版—新北市：花木蘭文化事業有限公司，

2017〔民106〕

222面；19×26公分

（民國文學珍稀文獻集成・第二輯・新詩舊集影印叢編　第59冊）

ISBN 978-986-485-151-5（套書精裝）

831.8　　　　106013764

ISBN-978-986-485-151-5

民國文學珍稀文獻集成・第二輯・新詩舊集影印叢編（51-85冊）

第59冊

戰鼓

著　者　蔣光慈

主　編　劉福春、李怡

企　劃　首都師範大學中國詩歌研究中心

北京師範大學民國歷史文化與文學研究中心

（臺灣）政治大學民國歷史文化與文學研究中心

總編輯　杜潔祥

副總編輯　楊嘉樂

編　輯　許郁翎、王筑　美術編輯　陳逸婷

出　版　花木蘭文化事業有限公司

社　長　高小娟

聯絡地址　235 新北市中和區中安街七二號十三樓

電話：02-2923-1455／傳眞：02-2923-1452

網　址　http://www.huamulan.tw　信箱　hml 810518@gmail.com

印　刷　普羅文化出版廣告事業

初　版　2017年9月

定　價　第二輯51-85冊（精裝）新台幣88,000元

戰鼓

蔣光慈 著

北新書局（上海）一九二九年六月初版。原書三十二開。

戰鼓

戰　鼓

蔣 光 慈 著

上　海
北 新 書 局
1 9 2 9

一九二九年，六月，二十日，出版

戰鼓一册　實價大洋四角

著作者　蔣光慈

發行者　北新書局

目　　錄

卷　上

卷　下

（5）

上　　卷

1991——1994

紅　笑

艱難的路程已經走了，
危險的關頭已經過了；
一大些白禍的恐慌，
現在都變成紅色的巧笑了！

哪裏是日本海水的波蕩？
哪裏是海參威的炮聲響？
我且登烏拉山的嶺頭——
無邊無際地眺望。

貝加爾湖的碧瀉瀉的清水
洗淨了我的心臟；
貝加爾湖的山洞；
我一個一個穿過了——
都尋着了光亮。

（1）

哪裏是太平洋麼?

那麼樣地烏煙瘴氣!

哪不是莫斯科麼?

多少年夢見的情人!

我快要同你懷抱哩!

一九二一,七,[illegible]於烏拉嶺.

(2)

十月革命紀念

看啊!這座自由神降生的紀念碑
莊嚴地冲入雲霄裏!
紅旗飄揚,
紅光閃灼,
這是自由神放射的愛光——不是?

聽啊!這鼓樂喧天,
萬人聲裏:
勞工神聖,
資本家消滅,
自由神萬歲!

一〇,二五.

(3)

無窮的路

靖華買了一張托爾斯泰的相片,
相片的情景:托爾斯泰——老年時代
——負一包袋,持杖行於茫無涯際的
路中. 相片之上面題『無窮之路』
四字. 我看了之後,發生無窮的感想.

一步,兩步,三步,
一步,兩步,三步,
已經走了許多了,
看啊!這茫茫無窮的路!

走了一步,看看步後的路,
走了一步,看看步前的路;
啊!步後的路印了生命的痕跡,
步前的路還不知道怎樣呢!

看得着的——天邊,

走不盡的——路程，

我本願意中止啊，

生命却逼着我前進！

渡得過的——海洋，

走不盡的——路程；

我本願意中止啊，

生命却逼着我前進！

一二，二六。

（5）

我應當怎樣呢？

哎喲,哎喲……
我的生命的主宰呀,
我的上帝!
我應當怎樣呢?

上帝,我不退後啊,
我要往地獄裏去!
兄弟們喊着悲慘的聲音,
我怎能忍心靜聽呢?
去啊,去啊!
我一定要安慰他們去!

哎喲哎喲……
我的生命的主宰呀,
我的上帝!
快來引導我的靈魂罷,

你看看這前面的仇敵!

淚呀,淚呀,狂湧的淚呀!
你把我湧得昏了,
你把我湧到什麼地方去?
—— 湧到太平洋的深底?
　　湧到地球外的空間裏?
淚呀,淚呀,狂湧的淚呀!
你索性把我衝得碎碎地!

啊!這些可憐的兄弟們,
還正在喊着悲聲呢!
我忍着心兒不聽罷,
我應當怎樣呢?

一九二二,二,五.

(7)

夢中的疑境

從那邊走來了一個小孩子,
—— 眞正地可愛啊!——
笑嘻嘻地同我行個握手禮.
他說,『朋友,你怎這般不快呢?
現在春天到了,
我同你一塊兒玩耍去.』

我心裏有點懷疑,
但是我還同小孩子一塊兒走.
一步,兩步,三步,
一步,兩步,三步,……
『我倦了,
　　　小朋友!』

小孩子笑着,拉着我努力地走.
他說,『朋友,還想退後麼?

我們走過的路已經變成了

險絕的崖壁,

頹廢的荒邱;

我們未走過的路,那裏還是

鮮豔的紅花,

嬌滴的綠柳。

朋友!前進啊……走!』

『你應當時常快樂,

同我們小孩子的心情一樣;

你更不應當退後,

因爲退後是老年人的思想。

將來的都是幸福,

過去的都是失望!』

我親愛地笑了一聲,

同小孩子行了接吻禮。

『小朋友啊!……

(9)

我原來認得你!』

二,二四,醒後作。

聽韃靼女兒唱歌

聽啊!

　　口的芳音?

　　琴的清聲?

宇宙神祕的狂舞?

人間生命的歌吟?

她彈着西洋的琴,

她唱着韃靼的歌,

我連一句兒也不懂得,

但是我又何必懂得啊?

這樣的芳音,

這樣的清聲,

彷彿我那一年聽着的一樣.

但是那一年的她呢?

我對着今日的她——

(11)

這麼這樣地癡想

一縷一縷的
繞着我的靈魂亂晃;
一聲一聲的
鼓着我的心房響.
啊!今日的她啊——
那一年她的影象?

二,二七.

太平洋中的惡象

橫着歐亞的中間,
我站在烏拉山的最高峯上.
看啊!那不是太平洋麽?
那陰慘慘地——水的氣,
霧的瘴,
煤的煙,
隱隱躍現着的,那不是
美利堅假人道旗幟的招展,
英吉利資本主義戰艦的往來,
日本帝國主義魔王的狂蕩?
那無數的人們,——
被那魔王戰艦打下波浪的人們,
一擡,一擡,——張皇地擡,
只是怎樣擡得起!
那裏是救生的輪船?
那裏是望得見的邊際?

(13)

聽啊!

那波浪轟轟

助那戰鼓鼕鼕地響!

是嘶殺聲?

　痛哭聲?

　喊叫聲?

仔細地聽啊!

『遠東被壓迫的人們起來罷,

我們拯救自己命運的悲哀,

快啊,快啊,……革命!』

一月爲遠東勞動大會作.

(14)

復活節

耶穌復活了!

耶穌復活了!

我的耶穌呀!

我的耶穌呀!

你眞正地復活了麼?

你眞正地復活了麼?

天氣這般地清爽!

人們這般地漂亮!

老的,小的,

男的,女的,

一往一來,

一來一往,

湧着,擠着,

拉着,扯着,

滿街滿園,

(15)

成行成隊地游逛.
但是這些爲着什麽呢?
誰個把(耶穌爲什麽復活)
—— 想了一想?

這些來來往往的人——
歡喜耶穌復活的人,
也有窮的,也有富的,
也有幸的,也有不幸的.
富的,幸的,——
歡喜上帝賜了福氣;
窮的,不幸的,——
可是歡喜上帝賜了痛苦呢!

有錢的也給耶穌敬禮,
貧窮的也給耶穌敬禮,
做惡的也給耶穌敬禮,
受苦的也給耶穌敬禮,

敬禮同是一樣啊,
耶穌到底承受誰個的?

看啊!
這教堂中神父的威嚴,
好像皇帝爺一樣!
這壁上的畫像——
耶穌赤着脚兒,披着髮兒,
向一般破衣襤褸的人們演講.
這人羣的幾個黑臉粗手的工人
也畫一畫十字念一念經,
誠懇地瞻拜耶穌聖像!

飲酒罷!
這是上帝的血!
吃麵包罷,
這是上帝的肉!
我想:——

(17)

上帝的肉是愛的結晶,
上帝的血是愛的精液;
人們吃了上帝的肉,
　　飲了上帝的血,
都應該做上帝的好兒子!

普式庚花園表面,
一些小孩子—— 男的,女的,
圍着圈兒玩耍眞有趣!
她們一對一對地歌舞,
我未曾見過這樣的孩兒戲!
一個小男孩子唱着:
『姑娘啊!你可愛我呢?』
一個小女孩子和着:
『聰明的孩子啊!我愛你!
我同你是上帝親愛的!』

我隨走隨看地逛,

我又這裏那裏地想:
『假使耶穌復活了,
他看着現在的世界怎樣?
他所教訓人們的話,——
犧牲啊!博愛啊!——
那個人曾記在心上?』

上帝的血白給人們飲了!
上帝的肉白給人們吃了!
人們快懺悔罪惡罷,
莫空祝耶穌活了!

一九二二年復活節.

新 夢

冰雪的寒威去了，
春光帶着笑意來了；
草也青了，
花也開了。

過去的跡痕
有那些值得回憶？
現在的生活
有什麼可以悲喜？
將來的路程
還有這般長遠呢！

樹陰底下的孩子
笑嘻嘻地玩耍；
樹枝上的鳥兒
爲什麼這般歡叫呀？

鐵可以算爲堅硬的罷，
但是我比鐵還要堅硬些！
花可以算爲溫柔的罷，
但是我比花還要溫柔些！

鳥兒的歌聲
喚醒了我的心迷；
春光燦爛啊！
怎能等閒地拋去？

最令我心醉的
是花兒的巧笑；
最令我悲傷的
是人們的狂暴；
最令我希望的
是前路的紅光照。

（21）

貝加爾湖的清水
把我的心靈洗淨了;
烏拉山的高峯
把我的眼界放寬了;
莫斯科的旗幟
把我的血液染紅了.

聽啊!
喊叫聲?
嘶殺聲?
波浪聲?
風雨聲?
哭聲裏帶着笑聲,
笑聲裏帶着哭聲.

我要臥在光的底下,
眠在花的心裏!
守着我的是誰?

司文藝的神女!

我的司文藝的神女
現在溫柔地對我巧笑;
我的生命的寄託啊!
爲什麼從前那般對我煩惱?

河裏的水
這般無晝無夜地流;
但是水的生命並沒斷呀,
海洋是他的歸宿.

這地上所生的花草,
也有惡臭的,
也有芳香的;
惡臭的固然要芟刈了,
但是怎能惡及芳香的?
詩的光芒射了,

(23)

司文藝的神女笑了，
生命之花開了。

最令我感動的
是痛苦人們的血淚；
司文藝的神女啊，
快來引導我罷！
我要替他們刷洗！

我的司文藝的神女啊！
你是——
剛烈的，
溫柔的；
你也是——
嚴厲的，
仁慈的。
你是我的生命的寄託啊！
我怎能一刻兒離你？

（24）

人們眞這般昏聵麼?
把血鐘撞一撞罷!
這麼樣轟轟髮髮地響,
大約總可以震醒一點罷!

長江的水啊,
終久流到海洋裏;
陰沉的夜啊,
終久是要破曉的!

前路有艱難麼?
不怕!
已經走了許多了,
還能退後麼?

愁悶起來了麼?
哭!
樂意發生了麼?

(25)

笑!
哭的熱淚
廣灑在花的根底!
笑的歡聲
廣摻入風的波裏.
但願風送芳香
吹進了人們的心房深深地!

女兒的琴聲,
鳥兒的歌聲,
從前勾引我灑了許多熱淚;
現在呢?
給了我許多安慰!

誰說詩人的心兒是沉悶的?
誰說詩人的歌聲是悲哀的?
假使詩人的心兒是沉悶的,
那麼,人間的生命

將長此地沉悶以終死;
假使詩人的歌聲是悲哀的,
那麼,宇宙的歡欣
又有誰個能爲表現呢?

詩人的熱淚
是安慰被壓迫人們的甘露,
也是刷洗惡暴人們的蜜水。
假使甘露如雨也似地下,
蜜水如長江也似地流,
那麼,世界還有什麼污穢的痕跡?

歷史的鐘聲
催逼人們前進的雙脚;
假使你不半路偃臥了,
終久渡過這生命之河。

誰個給了我的方法?

(27)

誰個給了我的目的!
這些都是妄想啊!
除了我,還有誰個呢?

我再不沉悶了,
因為沉悶的海洋沒有根底;
我再不失望了,
因為希望的花蕊終久是要吐香的

我的可愛的朋友,
我的勇敢的兄弟,
也不要灰心,
也不要失意,
只要你一步一步地前走,
幸福終有一日接近你!

希望啊!
美麗的將來!

歌詠啊!

美麗的將來!

司文藝的女神

立在彩雲端裏:

跪接啊!

伊灑遍了愛的汁水。

司文藝的女神

臥在花的心裏:

祈禱啊!

伊賜與了夢的甜蜜。

司文藝的女神

藏在心的房裏:

歌詠啊!

伊鼓動了神的愛力。

希望的神

站在那邊河岸上招手:

(29)

來罷,來罷,

失望的地方不可以久留!

從前的想像

都是錯了!

現在的目光

却向將來的地方望了.

聽啊!

鳥聲喧喧,

好像唱着生命之歌.

我今後的靈魂啊,

永在這春光燦爛的空間裏飛躍!

一九二二,勞動節前二日.

接到第一封家信之後

湧啊!錢塘江上的潮;
搖啊!大風前頭的柳;
但是總抵不過我思家的情緒——
接到了第一封家信之後!

『爲什麼去國經年,
不曾給家中一信?
忘了家麼?
也應該想一想:
父母念兒的心情!』
這幾句傷心的.眞情的話語,
眞教我客地的游子
不覺得淚下涔涔!

『兒啊!暑假早歸來.
許久不見吾兒,

(31)

為娘的心情不快.』
去春在家臨行的囑言,
到如今宛然在耳.
但是——母親啊!
兒今年不得歸來,
明年能不能歸來?
數萬里迢隔雲山,
你在家每日倚門西望,
我這裏每回東顧而徘徊.

本不願思家,
但是思家的情緒不能已!
莫斯科初夏方熱的時候,
家鄉的風景應當如何呢?

六,三,在達齊.

西來意

讀維它所著赤潮集,見序文中
有西來意三字,不禁生感,爰做此詩,
並呈維它.

★ ★ ★

渡過了千道江河,
爬過了萬重山嶺;
回頭看啊,
那滿州里的白霧蒼茫,
如海參威砲聲緊——緊!
恐嚇受得太多了,
更不計及跋涉的艱辛,
俄鄉的風雪冷.
維它啊!
俄羅斯好似當年的印度,
你我好似今日的唐僧.

(33)

苦啊!苦啊!……

黑夜裏四面哭聲,

航海的燈塔哪裏?

奮鬥啊!奮鬥啊!

我跳出陰沉,

奔到此紅光國裏.

尋快樂麽?不是!

我願得到一點眞經,

回轉家鄉做牧師.

不忍聽的悲語哀吟,

鼓動了我的心靈不息;

阿彌陀佛!一聲去了,

爲人類,爲社會,

爲我的兄弟姊妹,

還問前途有甚危險呢?

啊,維它啊!

這是我的—— 你的?——

西來意,

西來意!

我幼穉的心靈'
早受了憂慫激;
我弱小的心腸,
早充滿了閒悶氣。
回想起:廿載過去的光陰,
全埋葬在浪漫悲哀的生活裏!
哈哈!現在我的心靈活潑了,
時潤將來希望的溫柔雨;
我的心腸清淨了,
且謝謝這赤浪紅潮,
將我全身的灰塵一洗!
從今兒我更不悲觀了——
覺悟到人生的意義是創造的。
從今兒我更高歌狂嘯——
爲社會,爲人類,
爲我的兄弟姊妹!

(35)

★ ★ ★

維它啊!
中土陰沉,
我們負了取經的使命;
將來東方普照的紅光,
能不能成爲今日取經人的心影?
我們不要中輟呵!
努力罷!—— 那是我們的榮幸.
我們應當堅信呵!
勇進罷!—— 前路有自由美麗之神.
維它!維它!
你願這「西來意」
化成一現的曇花,
還是宇宙波流中的推輪?

七,二三,

秋日閒憶

秋風起了，

黃葉飛了，

前年—— 今時，

今時—— 前年，

莫斯科城外的風光，

蕭湖赭山上的景色。

毓情，你在東京麼？

東京海岸的落楓可曾數徧？

語罕，現在正渡印度洋罷？

你也曾回首江山，瞥眼一看？

寶貴的光陰

被這黃葉一片一片地飄去。

要數罷？—— 數不起；

不數罷？—— 情不已！

(37)

為什麼今日國外的感觸,
反比當年國內的感觸更深呢?

離國一年多了,
離家却兩年了。
秋風瑟瑟,
黃葉蕭蕭,
怕又更觸起父母念兒的心緒了。

啊!記起:——
長江輪上的夜哭,
赭山頭上的夜月,
毓情寄我辭別的書信,
希平諄諄勸我的熱語。
今日感觸,
當年情緒,——
不記起也罷。
偏記起!

九,二七,於莫斯科鄉間.

(39)

自題小照

是我,
非我;
非我,
是我;
且把這一副
不像他,
不像你的形容,
當做眞我.

廿一年來,
哭也哭了許多,
笑也笑了許多,
對花月流熱淚,
登高山放悲歌,
浪漫的心情糾纏着
浪漫的生活,

昏沉沉地浪漫過。
儘管消瘦，
儘管折磨，
到如今這一副形容
終久不是他，
不是你，
還是我。

赤城中——
聽慣了風雨聲；
紅旗下——
慣作了自由行；
行，行，行……
西來一遊，
探得着許多資料，
充滿了詩人的心境。
往日的悲哀。
今變成了榮幸；

(41)

濛濛的黄昏,
已放了光明.
西望西歐——
太平洋的波浪奔騰;
東觀東亞——
太平洋的紅日東昇.
啊!我登着烏拉高峯,
狂歌革命?

啊!跑入那茫茫的羣衆裏!
詛咒那貪暴的,作惡的,
歌詠那痛苦的勞動兄弟;
世界的將來屬於
那可憐的饑民,卑賤的奴隸,
人類的光榮除了他們,
還有誰個能夠創造呢?
倘若我的淚不盡量地爲他們流,
倘若我的詩不盡量地爲他們歌,

這是我的不幸——
詩人的羞恥!
那麽,這個眞我,
又有誰個認識呢?
只合拋入千丈深淵,
萬山窟裏!

從那羣衆的波濤中,
纔能湧現出來一個眞我。
飛躍啊!
鼓蕩啊!
追隨那滾滾茫茫,
細聽那奔騰音樂;
這心絃的滴滴嬌彈——
軟響芳聲
同那萬丈波濤——轟——擊——相和。
啊!這是人生之曲,
宇宙之歌!

(43)

前進罷!——紅光遍地,
後顧啊!——絕壁重重.
革命的詩人,
人類的歌童'
我啊!
我啊!
拋去過去的骸骨,
愛戀將來的美容.

一○,一八.

我的心靈

我旅行在這廣漠的空間裏，
無意地吃了許多花菓；
我那知道花菓的蜜汁
會變成了我的心靈呢？

我逗遛在這綿延的時間裏，
無意地聽了許多哭笑；
我那知道哭笑的音流
會變成了我的心靈呢？

我的心靈啊！
因爲你是花菓的蜜汁變成的，
你纔這般地纏綿而溫情；
因爲你是哭笑的音流變成的，
你纔這般地熱烈而深沉。

（45）

我的心靈啊!
風雨奔騰時,
我細聽你的慷慨歌聲;
雲霞開飛時,
我細聽你的徘徊低吟.

有時我覺着宇宙的琴流
漫蕩着我的耳鼓;
我的心靈總是緊緊地和着——
一拍—— 一拍兒地低奏.

有時我覺着我的心靈飛去了,
與那全人類的心靈同化;
我雖然還聽着不斷的歌吟,
却分不清是那一個的聲音了.

有時我聽着痛苦人們的哭聲,
我的心靈就顫動着不已;

也許我的心靈故意地追我罷，
爲什麼我因此流了許多熱淚呢！

有時我聽着强暴人們的笑聲，
我的心靈就熱跳着不已，
也許我的心靈故意地追我罷，
爲什麼我因此生了許多很厭呢？

我的心靈使我追慕
那百年前的拜輪：
多情的拜輪啊！
我聽見你的歌聲了，
自由的希腊——
永留着你千古的俠魂！

我的心靈使我追悔
那八十年前的海涅：
多情的海涅啊！

(47)

你爲什麽多慮而哭泣呢?

多情的詩人——

可惜你未染着十月革命的赤色!

一九二三,一,二四.

鋼刀與肉頭

讀中國報紙作

大將軍的鋼刀，
小百姓的肉頭；
鋼刀倉倉響，
肉頭滾滾流。
只要滿了大將軍的心意，
那管小百姓的肉頭堆如山邱!

寄語勞苦的兄弟
和為自由而戰的朋友：
我們切不要膽怯啊!
小百姓的肉頭無盡，
大將軍的鋼刀總有銹鈍的時候。

二，一二。

(49)

病魔

哎!我一生什麼都不怕,
我所怕的就是你啊!
我有雄心,
你來的時候,
牠就消沉了.
我有工作,
你來的時候,
牠就拋棄了.
我本想時常尋點快樂,
但你一來了,
這快樂之神就扳起面孔去了.
哎!我不能奈何你,
你眞是我唯一的仇敵啊!

人們本來就不幸了,
你爲什麼這般擾亂呢?

(50)

但願世界上永遠沒有你!

三,二四。

(51)

一個從紅軍退伍歸農的兵士

打敗了田尼庚,
剿滅了柯恰克,
收回了勞農的江山,
推到了資本家和波獸斯奇克.(一)
拋了多少頭顱,
流了多少鮮血!
喂!回頭看,不由得我渾身戰慄!
但是向前看那光榮的將來,
更不由得我滿心歡悅:
我是何等地幸福呀!
數年來槍林彈雨之中,
終能逃得性命一條,
親睹共產主義社會的建設.

啊!歸去!歸去!
我原來是一個農民,

現在且歸家去耕土地.
從今後願永遠做一個自由的農民,
一不受老爺們的壓迫,
二不受寄生蟲的悶氣.
麵包是汗珠子培植的,
誰做工,誰得食!
五六年來從軍征戰,
拋棄了家園;
終日裏在槍林彈雨之中過生活;
幾幾乎把家園的情事全忘完.
今日歸來,一步一步,
不覺離家園不遠;
爲什麼這一顆心只是
上上下下,西里古東的不安?
懼怕麼?膽怯麼?
抑是太過了喜歡?
我放開兩眼——
四面八方仔仔細細地看:

啊!那深林中一座美麗房子的主人
豈不是大地主比得伊凡?
現在他逃到那兒去了?
這座房子被那些農民佔住了?
奴僕趕走了主人,
不由得我起了無限的興亡感!

呀!已經來到自家的門口了,
無知的犬認不得主人,
只是汪汪地狂吠;
從門內出來了一個白髮蒼蒼老婦人:
『誰來了?』
『我最親愛的母親!
你的兒子亞樂嘉回來了,
快來,快來同你多年不見面的兒子接吻!』
母親只抱着我哭,
我也覺着有無限的傷心;
本來有多少話要說,

但是從何說起呢!
哎喲!我的可憐的母親!

放下槍頭,
拿起鋤頭;
從鋤頭上奪得了自由,
從槍頭上要栽培這自由。
啊!自由!自由!
昨日的槍頭,
今日的鋤頭。
(一)地主!

五,六。

柳絮

記得兒時，
在柳深陰處，
與羣兒亂撲柳絮；
爭先恐後，
嘻嘻笑笑；
每個都想把柳絮撲在水裏，
喂！好一副天眞的畫圖！

這一幅天眞的畫圖，
永遠地，
印在我的腦際，
掛在我的心裏；
我不能把牠忘記，
我又怎忍把牠忘記呢？
哎喲！黃金的兒時離我而去了，
我再不能回轉頭來變成小孩子！

兒時見着柳絮——亂撲，

現在見着柳絮——沉思。

當亂撲柳絮的時候，

不過覺得柳絮有趣；

但是當對着柳絮沉思的時候，

這柳絮如絲也般地亂擾，

浪也般地湧激，

一齊都變成了我心中的情緒。

五，二〇。

中國勞動歌

起來罷,中國勞苦的同胞呀;
我們受帝國主義的壓迫到了極度;
倘若我們再不起來反抗,
我們將永遠墮於黑暗的深窟.

打破帝國主義的壓迫,
恢復中華民族的自主;
這是我們自身的事情,
快啊,快啊,快動手!

起來罷,中國勞苦的同胞呀!
我們受軍閥的蹂躪到了極度;
倘若我們再不想法自救,
我們將永成為被宰割的魚肉.

推翻貪暴兇殘的軍閥,
解放勞苦同胞的鎖扣;
這是我們自身的事情,

快啊,快啊,快勤手!

起來罷,中國勞苦的同胞呀!
我們嘗足了痛苦,做夠了馬牛;
倘若我們再不奪迴自由,
我們將永遠蒙着卑賤的羞辱.

我們高舉鮮豔的紅旗,
努力向那社會革命走;
這是我們自身的事情,
快啊,快啊,快勤手!

七,九.

送玄廬歸國

玄廬!你今歸去,
我也沒有什麼別離的情懷,
我也不願說一些別離的虛語.
但問你一聲:你今歸去,
將告訴人們一些什麼呢?
西伯利亞的鐵路有多麼長?
白雪是怎樣地多?
北風是怎樣地冷?
還是告訴人們,紅旗下的生活是怎樣呢?
罵俄羅斯的人們說,
布爾雪委克野蠻無禮.
但你這次來看得很淸楚了,
請回去告訴人們說,
不是!窮黨是全世界被壓迫人們的兄弟.

瓦爾塞和約是剝削弱小民族的憑單,

華盛頓會議是宰割中國人民的几椅;
到底誰個是我們的朋友,
誰個是我們的仇敵?
玄廬!你這次已探得赤俄的眞意了,
請回去告訴人們說,
赤俄對待中國的態度是同情的.

玄廬!你這一次來,我知道:
無涯的白雪更把你的目光照亮了,
凛冽的北風更把你的心腸吹熱了,
鮮艷的紅旗更把你的血液染紅了.
你今歸去,我立看着你飛過烏拉山,
經過貝加爾湖,跳過滿州里,
跑入那悶沉沉的羣衆中,
高呼無產階級革命
與全世界被壓迫民族的解放萬歲!

一一,二九.

昨夜裏夢入天國

昨夜裏夢入天國,
那天國位於將來嶺之巔.
牠眞給了我深刻而美麗的印象啊!
今日醒來,不由得我不長思而永念:

男的,女的,老的,幼的,沒有貴賤;
我,你,他,我們,你們,他們,打成一片;
什麼悲哀哪,怨恨哪,鬥爭哪……
在此邦連點影兒也不見.

也沒都市,也沒鄉村,都是花園,
人們羣住在廣大美麗的自然間.
要聽音樂罷,這工作房外是音樂館;
要去歌舞罷,那住室前面便是演劇院

鳥兒喧喧,讚美春光的燦爛,

一聲聲引得我的心魂入迷.
這些人們眞是幸福而有趣啊!
他們時時同鳥兒合唱着幽妙曲.

花兒香薰薰的,草兒靑滴滴的,
人們活潑潑地沉醉於詩境裏;
歡樂就是生活,生活就是歡樂啊!
誰個還知道死,亡,勞,苦是什麼東西呢?

喂,此邦簡直是天上非人間!
人間何時纔能成爲天上呢?
我的心靈已染遍人間的痛跡了,
願長此逗遛此邦而不去!

一二,一.

莫斯科吟

莫斯科的雪花白，
莫斯科的旗幟紅；
旗幟如鮮豔濃醉的朝霞，
雪花把莫斯科裝成爲水晶宮.
我臥在朝霞中，
我漫遊在水晶宮裏，
我要歌就高歌，
我要夢就長夢：

回憶過去所遺留的一點一點地跡痕，——
哭泣呢？
怨恨呢？
歡笑呢？
還是留戀呢？
不，朋友們！
那是過去的，

那是不可挽回的,
只合永遠埋在被忘記的深窟裏!

無涯的歷史的河——
流啊!
流啊!
不斷地流啊!
人類的希望旋轉在你湧進的浪頭上;
倘若你不流了,——
停止了,
不前進了,
人類的希望就沉沒了,
將永沉沒於黑暗之鄉!

朋友們!
莫相信人類的歷史永遠是污穢的,
牠總有會變成雪花般漂亮而潔白的一日.
我昨夜夢入水晶宮裏,

(65)

得到一個確實的消息:
人類已探得了光明的路口,
現在正向那無灰塵的國土進行呢.

朋友們!
莫回顧那生活之過去的灰色黑影,
那灰色黑影真敎我羞辱萬分!
我今晨立在朝霞雲端,
放眼一看:
好了!好了!
人類正初穿着鮮豔的紅色衣襟.
十月革命,
那大炮一般,
轟擊一聲,
嚇到了野狼惡虎,
驚慌了牛鬼蛇神.
十月革命,
又如通天火柱一般,

後面燃燒着過去的殘物，
前面照耀着將來的新途徑。
哎!十月革命，
我將我的心靈貢獻給你罷，
人類因你出世而重生。

一二，一二。

(67)

哭列甯

今日聽到列寗病故的消息,不禁爲人類解放運動一哭!歷史上本不少偉大的人們,但是列寗對於人類所建立的功業却空前無比。列甯的早死乃人類歷史的羞辱,我焉得不哭!

喂!呼喇喇殞落了一顆偉大的紅星!
喂!陰淒淒息滅了一盞光亮的明燈!
哎喲!我要痛哭了!
我要悲慘地哀歌了!
我的列甯!
俄羅斯勞農的列甯!
全世界無產階級革命的列甯!
全人類解放運動的列甯!
噯!列甯你死了!
你眞地死了!

(68)

好不教我心靈痛苦,
好不教我淚滿衣襟!

俄羅斯的內部正須建設,
國際的革命潮正在奔騰;
我方夢想一鼓作氣,
勦滅舊世界的殘喘餘生。
噫!好不幸呀!
不料共產的大業未成,
竟死了我最親愛的,
全世界無產階級革命的首領!
這不是應當的罷?
我要追問來由,
我又無從追問。
我要把招魂狂賦,
我又從何處招魂!

死啊,那賣階級的爾貝爾特!

(69)

死啊,那法西斯蒂穆松林!
死啊,那卑賤的剛伯爾斯!
死啊,那帶假面具的威爾遜!
死啊,那一切資產階級的大將!
死啊,那一切勞動階級的敵人!
但是他們總不卽刻地死,
却死了我親愛的——列甯!

哎!列甯,列甯,
你今死了,
你再不能回生了!
人是終究要死的,
壞的人早死了更好.
但是列甯你啊!
你今死了却未免太早.
你的死是無產階級的羞辱,
我怎能不痛泣而悲號!

歷史上本不少偉大的人們,
他們也值得詩人的讚美歌吟。
但是列甯你啊!
你是一個空前偉大的個性:
你送給了人類不可忘的禮物,
你所遺留的將與日月以同明!

聽啊!
那罵列甯死的,樂列甯死的是誰?
那哭列甯死的,悲列甯死的是誰!
列寧死了,
列甯葬在那裏?
列甯葬在全世界資產階級的歡笑裏;
列甯葬在全世界無產階級的哀悼裏;
列甯葬在奔騰澎湃的赤浪裏;
列甯葬在每一個愛光明的人的心靈裏。

列甯死了,

列甯拋棄了我們而永逝!

但是,朋友們啊!

死的是列甯的肉體,

活的還是列甯的主義;

列甯雖死了;

列甯的心靈永化在無產階級的心靈裏

倘若我們是列甯的學生啊,

且收拾眼淚,

挺起胸膛,

繼續列甯的未竟之志.

一九二四,一,二二.

與一個理想的她

昨夜裏將你夢見
在那無名的,詩境的花園裏;
那花兒眞芬芳啊,
是你的香氣?
那鳥兒眞歡叫啊!
是你的妙語?
你把我的心靈浸得沉醉了,
我傾臥在你的溫懷裏.
啊!我是如何歡欣而榮幸啊!
你證實了詩人的想像是眞的.

哦愛!每一個詩人都愛美,
你的美更令詩人神飛而心醉.
但是美是變動的啊,
我愛你却永無涯際.
我愛你,我永遠地愛你,

我將我的心靈貢獻給你，
我將一切所有的交給你，
我只要你給我歌，給我愛，
給我蜜吻，給我安慰.

我愛！你爲甚這般瘋狂地愛我呢？
爲着我的財富，爲着我的貌美？
不是！那財富是贓物，
那美又是時常變動的，
你愛我那是爲着這個呢？
你愛我，你瘋狂地愛我，
因爲我是詩人，你是司文藝的神女.

當我疲倦於革命的歌吟時，
我要飲溫情的綠酒，
我愛！你替我斟注啊！
當我沉悶於人生的煩勞時，
我要聽芳琴的細奏，

我愛!你給我低彈啊!
飲了綠酒,
聽了細奏,
我又不得不高唱人生
在那革命的怒潮中飛舞.

我愛!你靜聽啊!
你聽聽我倆的心房內
跳彈着什麼人生的音節?——
世界上沒有什麼比雪還白,
世界上沒有什麼比我們的愛情還潔;
我們的結盟永不破裂,
我們生命的流泉永不乾竭.

一,三○.

○ ○ ○

昨夜裏想起你的身世,
我淒然落了幾點無名的眼淚.
哎!你總算是幸福的了!
你已得了我的贈禮.

當我與你初會面時;
我以為你對於我有所明了,
我預備把我的愛情交給你,
但是現在希望已成為幻想了.

我對於你懷着無限的同情,
但你不能夠覺得;
我告訴你我的心腸話罷,
可惜你又不能夠明白.

我現在不能把愛情交給你了,
但我不能坦然地忘却你;

(6)

或者你的模樣兒,歌笑兒,

在將來也落得詩人幾番的囘憶.

二,四.

(77)

每回搔首東望

每回搔首東望,

我的心只是跳動不停.

詩人客地的情懷

最苦的是遙悲故土的沉淪!

哎!中國,中國,

你何時復生?!

二,八,瓦斯金鄉下.

月夜的一瞬

青藍的天空連一點雲兒也沒有，
如深沉的，廣漠的碧海一般，
浮在我的頭頂上面。
大地都被雪掩蓋了，
看不出何處是森林，
何處是村莊，何處是山川。
月兒如玉盤一般的圓，
她的美麗的清光，神祕的笑臉，
引得我起了無名的幻想：
『月宮裏好一座幽妙的花園!』
月光把雪色照得更白，
雪色把月光反映得更爲清婉。
乾坤啊!——水晶的石柩，
月光啊，雪色啊，——白茫茫的一片。
何處是我的家園?
何處是我的去路?

（79）

何處是我的來源?

我現在臥在水晶的石柩裏!

我願永遠臥在水晶的石柩裏!

什麽是家園?

什麽是去路?

什麽是來源?

喂!最好是白茫茫的一片!

二,二〇,瓦斯金鄉下.

勞動的武士

我敬愛的勞動的武士啊!
你是英雄的;而且是忠誠的;
你把你的情婦——蘇俄——保護得安穩,
你把她奪回來從那强人的手裏.

我最敬愛的勞動的武士啊!
你是英雄的,而且是忠誠的;
你把舊的世界已打破一半了,
新的世界一定要創造在你手裏.

我最敬愛的勞動的武士啊!
你是英雄的;而且是忠誠的;
人類的紅火被你吹得高耀了,
你的寶刀將斬盡一切黑暗的魔鬼.

我最敬愛的,勞動的武士啊!

(81)

你是英雄的,而且是忠誠的;
你是擁護自由公道的天使,
你永值得詩人的歌詠和讚美!

二,二三,紅軍六週紀念節.

(82)

臨列甯墓

在茫茫的人海中沉沒了一朵光明閃灼的
浪花，
在克里母宮的城下長臥着一個今古無比
的偉人；
歷史故意地還留下這一堆黃土—— 永遠
的紀念，
也不知要引起了許多讚美，憑吊，哀痛和歌
吟！

我不以為死是人生的悲劇，
我最可惜造福人類的人不能長生；
縱讓全世界無產階級號天痛哭，
也哭不醒最親愛的墓裏人！

列寧啊！你生前有改造世界的天能，
你死後怎麼竟如曇花泡影的永逝？

（83）

也或者你安穩穩地臥在克里母宮的城
下,——
遠觀世界革命的浪潮,近聽赤城中的風
雨.

列寧啊!你的光榮如經天的紅日,
我要讚美你罷,我又何從讚美起!
你的墓是人類自由的搖籃,
願你把人類搖到那自由鄉裏去!

二,二五.

十月革命的嬰兒

我對於皮昂涅兒(Pioneer)的敬禮

十月,十月,

從那荆棘的,荒廢的,蔓草的園中,

開闢了一塊新土,

栽種下,蕃殖着將來的——

美麗的花木!

我啊!

一個東方的青年詩人,

一個夢想將來自由世界的人,

好生榮幸!

旅居在此新造之邦,

親眼看見慢慢生長着美麗的花木——

牠們的嫩蕊,

牠們的稈莖!

牠們的淸香

(85)

刺透了我的心靈;
牠們的鮮豔的顏色
逼射着我的眼睛.
牠們……
牠們……

一隊一隊地小孩們,男的,女的,
頸肩上圍披着小紅巾;
手裏敲着巴拉牛(Baraban)
口裏歌唱出幼稚音:
『我們預備好了,
我們永遠地預備好了.
我們是勞農的嬰兒,
我們是共產主義的童子軍;
我們是將來的花,
我們是新世界的主人.……』

一,二,三,

敲響些,巴拉半!

一,二,三,

敲響些,巴拉半!

讓巴拉半的聲音響到倫敦,

讓巴拉半的聲音響到巴黎;

那裏有我們的小兄弟,

那裏有我們的小姊妹.

莫斯科童子軍的銅鼓聲

開始了將來美麗的音節;

莫斯科童子軍的歌唱聲,

呼引出將來自由的世界.

我啊!

一個東方的青年詩人,

願跟着你們高歌,

願跟着你們歡躍!

一,二,三,

敲響些,巴拉半!

一,二,三;
敲響些,巴拉牛!
讓巴拉牛的聲音響過海參崴,
讓巴拉牛的聲音響到長城裏!
那裏有我們的小兄弟,
那裏有我們的小姊妹.

我屢到皮昂涅兒的隊伍去,
他們一見我到了,
就把我圍繞着緊緊地.
有的問:你們中國也有皮昂涅兒麼?
有的問:你們中國還有發財的?
有的說:我們要組織皮昂涅兒的國際會;
有的說:請你回到中國的時候,
也組織皮昂涅兒的隊伍像我們一樣的.

有一次一個皮昂涅兒向我說:
『我們現在的生活雖然不大好,

但是我們的精神是奮興的。
我們的父母是工人和農人，
我們的將來是無窮的。……』
喂!我不能忘記這幾句深刻的話語，
我又怎能忘記這幾句深刻的話語!
我最驚訝的是:
偌大一個十一二歲的小孩子
怎能說出這般可敬的話語!

他們是新的人們，
他們是將來的——
美麗的花木!

十月的紅雨，
好生灑潤這美麗的花木;
俄羅斯，
紅色的俄羅斯啊!
你是蕃殖美麗的花木的新土。

(89)

註: Pioneer是共產主義的童子軍。

Baraban是銅鼓名.

一九二四,四,四.

懷拜輪

(19,4,1823,——19,4,1924,)

若說天才是聰明的,
為什麼天才的遭遇比人們更寥落而痛
苦?
若說天才是愚鈍的,
為什麼天才的感覺比人們更銳敏而深
入?

在陰沉的,黑暗的世界中,
雲霧密布,遍地淒涼,
人們屈服於權威之下方,
看啊!滿眼都是地獄,
向何處尋得着自由之鄉!?
祖國既不我留,
旅居那夢想的,金色的印度罷,
喂!更屬渺茫!

在人類悶塞的時候,
在權威兕逞的時候,
只聽得詩人不恭順的高叫:
自由,
自由,
自由……

拜輪啊!
你是黑暗的反抗者,
你是上帝的不肖子,
你是自由的歌者,
你是強暴的勁敵.
飄零啊,毀謗啊……
這是你的命運罷,
抑是社會對於天才的敬禮?

我嘗夢遊於希臘之海濱,

(92)

回憶歷史的往事，
追尋詩人仗義的跡痕，
在海波蕩漾的聲裏，
在海鳥婉叫的聲裏，
在海風嘯嗷的聲裏，
彷彿聽見當年詩人弔古國的悲吟。
我啊！
我生在東方被壓迫之邦，
我的心靈充滿了屈辱的羞憤！
百年前你哀弔希臘的不振，
百年後我今乃悲故土的沉淪。

我們同爲被壓迫者的朋友，
我們同爲愛公道正誼的人們：
當年在尊嚴的貴族院中，
你挺身保障搗毀機器的工人；
今日在紅色的勞農國裏，
我高歌全世界無產階級的革命。

(93)

我們——永遠
反對兇殘的强盜,
反對無恥的富人,
反對作惡的上帝,
反對一切遮蔽光明的黑影;

拜輪啊!
十九世紀的你,
二十世紀的我;
際此詩人歿後百年的紀念,
我眞說不盡我的感想之如何!

拜輪歿後百年紀念日作。

與安娜

安娜啊!
我愛你,
我真愛你.
我雖未常向你表示我的愛情,
但是安娜你是聰明的,
愛情又何必用言語表示呢?
安娜啊!
我愛你!
我真愛你.

你那一雙清洌的眼睛
含蓄而蕩漾着無涯際的深情;
從我初見你面的那一刻起,
你把我的靈魂兒拿定.
世界上難道還有別的
比你的微笑更爲動人?

(95)

世界上難道還有別的
比你的美麗稍強一分?
安娜啊!
我從未愛過別個
像愛你這一般地很!

若說你對我無情罷,
我決不肯相信!
若說你對我有情罷,
爲甚你又這般莊靜?
有幾次我想放膽地向你說:
『安娜啊!我愛你.』
但我都勉强忍住了,
我怕你說:『不必.』

時間不能多留我了,
我要離開紅色的莫斯科——
回到那灰色的中國做工去.

喂我安娜啊!

我不願意留戀你,——

留戀你徒增加我的失意.

但不知他年重遊俄士的時候,

我能不能再與你重新相遇?

人世間有多少不滿意的事!

我是最不滿意的人中之一.

倘若我能永遠地

領會你的微笑,

享受你的安慰,

那麼,我多麼幸福呢!

但是,安娜啊!

我要與你分別了,

他年更不知道何時……

親愛的安娜啊!

別了!再會,再會……

七,六,

(97)

新夢詩集序

新夢作者光慈,是我數年前一個共學的朋友.那時他是一個無政府主義者.後來他留學蘇俄共和國,受了赤光的洗禮,思想為之一變.他本富於情感於研究社會科學之暇,高歌革命,將至三年,新詩已裒然成帙.我勸他把她發表他居然允許了;現在出版有日,特把我勸他發表這本詩集的意思,略對讀者,表明一下,做個引子.

魔鬼已把黑暗之網,密布在我們的上下四方!昏昏的迷霧中,現出一個妖精,紅布纏頭,胸前挂着諾貝爾法寶,左邊兩個玄學鬼,好像是『大成至聖』和『太上老君』;右邊兩個玄學鬼,好象是『阿彌陀佛』和『我主上帝』.只見中央那個妖精口中念念有詞的道:

你的清晨則正在東方的,忍耐的黑暗之後等着,乳白而且靜寂.

又道:

讓你的冠冕是謙虛的,你的自由是靈魂的自由.

又道:

天天建築上帝的座位,在你的貧窮的廣漠的赤土上,而且要知道龐巨的東西並不是偉大的,驕傲的東西並不是永久的.

又道:

直至非聖潔的宴會中,天上突然落下武器,貫穿了他的粗大的心胸.

第一節是說,我們東方的文明是忍耐,在黑暗中的忍耐;也就是說,我們的國家被人滅亡(如印度)了,人類的生存權沒有了,甚至田兒被人霸,馬兒被人跨,妻兒被人壓,大家要忍耐着,不要反抗,這是東方的文明呀!

第二節是說亡國的人們(如印度人)或儘先卽補的亡國奴們(如中國人)要對那些滅亡你們的仇人謙虛,你們的國兒雖說滅亡了,田兒被人霸了,馬兒被人跨了,妻兒被人壓了,那些物質文明失掉了,算不得什麽;你們可以尋你們的自由靈魂!

第三節是說你們不要羨慕那高樓大廈,也不要羨慕那滿坑滿谷,上帝是不跟着他的。而且那種麗巨的洋房,是沒有你們這毛草棚子偉大的,他們那用科學方法弄得滿坑滿谷的田地,是沒有你們的貧窮的廣漠的赤土永久的.

第四節是說,你們縱然而相信我的話,縱然是恨那些滅亡你們國家的敵人,也千萬的忍耐着,『善惡到頭終有報,只爭來早與來遲』,必有一日『天上突然落下武器』，把那些人類的魔鬼如勞合喬治，克拉孟梭，潘加雷等等加了冥誅!
這種主張，不是別人的，就是現在一班玄學鬼和復辟黨當作老佛爺歡迎的印度詩人名叫太戈爾的。 唉!『商女不知亡國恨，隔江猶唱後庭花!』這種恬不知恥的亡國詩奴，只有把他塡到毛廁裏去!
青年的朋友們，可憐的勞動兄弟們，一切被壓的人們! 且聽我唱幾句別的調子罷:

橫着歐亞的中間，
我站在烏拉山的最高峯上。
看啊!那不是太平洋麼!
那陰慘慘地——水的氣，
　　　　　　霧的瘴，
　　　　　　煤的烟，
隱隱躍躍現着的，那不是
美利堅假人道的旗幟的招展，

(101)

英吉利資本主義戰艦的往來,
日本帝國主義魔王的狂蕩!
那無數的人們,——
被那魔王戰艦打下波浪的人們,
一擡一擡,——張皇地擡,
只是怎麼擡得起!
那裏是救生的輪船?
那裏是望得見的邊際?

聽啊!
那波浪轟轟
助那戰鼓鼕鼕地響!
是廝殺聲!
　痛哭聲!
　喊叫聲!——太平洋中的惡象

大家一定戰慄失色了;一定會說:可怕呀! 我們學太先生說的那樣忍耐着罷! 但是不要害怕,且聽我唱來:

(102)

仔細地聽啊!

『遠東被壓迫的人們起來罷,

我們拯救自己命運的悲哀,

快啊!快啊!……革命!』——同上.

昏蛋的,苟活的中國人,他們迷着睡眼,只知道得過且過,任你痛哭流涕,慷慨悲歌,叫得怎樣利害,說得怎樣危險,他總是縮頭縮尾,任人宰割;忽然聽見有人說道『忍耐』,『靈魂的自由』,『建築上帝的座位在你的貧窮的廣漠的赤土上』和『天上突然落下武器』等等鬼話,便像得了『安身立命』的道理似的,從此更有所藉口了. 少年的中國人,絕不在黑暗之後忍耐,絕不對那些欺壓我們的謙虛,絕不讓我們的莊嚴的國土,受强者蹂躪,絕不妄想『天上突然落下武器』的報應,我們要自己前進! 我們要鼓動革命! 這是我勸光慈同志發表他的新

(103)

夢集的第一種意思.

現在流行的新詩人,他們的腦子是資產階級的出產品,又多是美國奸商的文學家的高足弟子,他們的作品,十有八九都帶着銅臭! 絕沒有替無產階級『打抱不平』的. 光慈同志的新夢,却處處代表無產階級大膽的,赤裸裸的攻擊資本主義的罪惡. 他所譯的勞工歌裏說道:

誰個給大家飯吃,給大家酒醉?
誰個終日勞動着不息?
誰個拿着犂兒犂地?
誰個拿着鋤兒挖煤?
誰個給一些老爺們的衣穿,
自己反露着脚兒,赤着身體,
這些都是我們的勞動兄弟!
我們硬被迫着負着重擔,
我們硬被迫着閉着眼睛,

我們硬被拉着走向墳墓去!

誰個天天困在勞苦的工作裏,
消磨自己的生活;
終日在汗裏作工,血裏作工,
總都是爲着別個?
太陽的熱光曬在誰人的背上?
誰個連點法律,自由都得不着?
這些都是我們的勞動兄弟!
我們的命運,——奴隸的壓迫,
我們硬被迫着閉着眼睛,
任着懶惰人們的打擊!

一般沒骨氣的人,和小資產階級處在這種環境裏,自然是投降了掠奪階級(資產階級),或是也拿那老而不死的太戈爾的鬼話,『在東方忍耐的黑暗之後等着』,『天上突然落下武器貫穿他那粗大的心胸』,來做無可奈何的慰藉

(105)

或『催眠劑』. 哼! 眞正的無產階級絕不如是,且聽我唱來:

睜開眼睛罷,勞動兄弟!
把無意識的壓迫拋盡,
把黑夜的沉陰宣開,
排着隊伍——勇敢地前進!
我們要得着優美的部分,
在這生活的宴會裏;
並且得着光明的,意志的自由,
行一個健全的得勝禮!
我們好好鍛鍊我們犂兒,劍兒,
好同那新的生活過日子!——勞工歌.

所以我們絕不姑息,絕不苟安,絕不和帝國主義,資本主義妥協,一定要征服壓迫和剝奪我們的人,一定要享用我們應享受的幸福,中國現代青年的詩人裏具有這種態度的,光慈同志要算『首屈一指』,這是我勸他發表他的新夢集的第二種意思。

現在國內青年界流行的一種文藝,不是『甜哥哥』『蜜姐姐』的『我愛』『你愛』的鬧個不休;便是什麼『婚姻自由』『婚姻痛苦』『自由戀愛』的連篇累牘。從中國社會的腐敗制度上說起來,這種現象,不能不說是一種解放的運動;然而我們國步淪胥,種且不保,人人,尤其是自詡愛國的青年,應當把『男女的愛』,擴充到國家社會,擴充到全體被壓迫的階級;或是以男女的愛情做那爲人類犧牲的精神的調和,和最後的安慰,如夜未央劇中的主人翁華西禮。這一層光慈同志也曾顧到;他在那與一個理想的她一首裏歌道:

當我疲倦於革命的歌吟時,

我要飲溫情的綠酒,

我愛!你替我斟注啊!
當我沉悶於人生的煩勞時,
我惡聽芳琴的細奏,
我愛!你給我低彈啊!
飲了綠酒,
聽了細奏,(最好用芳琴)
我又不得不高唱人生,
在那革命的怒潮中飛舞.
我愛!你靜聽啊!
你聽聽我倆的心房內,
跳彈着什麽人生的音節?——
世界上沒有什麽比雪還白,
世界上沒有什麽比我們的愛情還
潔;
我們的結盟永不破裂,
我們生命的流(宜作源)泉永不
乾竭.
這種愛情是一種什麽意義? 革命

的青年啊! 革命的勞動者啊! 單純的個人戀愛,時候還早着哩! 我們要把我們的溫柔的情感供獻給受苦難的羣衆呀! 我們要在羣衆的血,羣衆的淚中,表現我們高尚的愛情呀!我很相信光慈的這一首詩一定可以給青年的革命者一個人生的指示. 可以說是.

『革命的愛情;愛情的革命! 』

這是我勸光慈同志發表他的新夢集的第三種意思.

然而『革命』『革命』,究竟我們的理想社會是什麽樣兒?若是沒有具體的表示,還是盲目的行動罷了! 光慈同志却已經把她描寫出來,讀者諸君且聽我歌來:

男的,女的,老的,幼的,沒有貴賤;
我,你,他,我們,你們,他們打成一片;
什麽悲哀哪,悲恨哪,鬥爭哪……

在此邦連點影兒也不見.

也沒有都市,也沒有鄉村,都是花園,
人們羣住在廣大美麗的自然間.
愛聽音樂罷,這工作房外便是音樂館;
要去歌舞罷,那住室前面便是演劇院.
鳥兒喧喧讚美春光的燦爛,
一聲聲引得我的心靈入迷.
這些人們眞是幸福而有趣啊!
他們時時同鳥兒合唱着幽妙曲.——
——昨夜夢入天國,

這便是共產主義完滿成功時的極樂國. 讀了這首詩,一般人對於共產主義的誤解,或視之爲洪水猛獸或强盜世界的懷疑和恐懼,皆可渙然冰釋,這是我勸光慈同志發表他的新夢集的第四種意思.

然而我們的理想社會,不是像柏拉圖的『共和國』那樣不倫不類的理想,也不是像列子書中華胥國,鏡花緣中的君子國那樣空想;我們是以無產階級的革命勢力,推翻舊來的資產階級的社會組織,建立一個共勞共享的共產社會,是一步一步可以達到的,是有方法的. 我們的第一步方法怎樣? 光慈同志道:

偉大的人啊!

你穿着紅的衣,黑的衣!

暴動起來,

好一似翻天覆地;

那數千年的執權者,

逃跑了,逃跑了,

不能抵禦.

啊!暴動!

你永遠的光明.

永遠的自由,

永遠的新鮮,

好一似那深山流瀑的清水。——暴

動

他更熱烈地歌道:

彈一彈,

野火的流光,

好一似那飛跑的偉大的琴絃;

在那血流的烟霞中,

追隨那羣衆的高呼狂喊:

打毀那宮殿的柱石

和那裝飾品的美術館.

恐怖遍布了,

放出自己强烈的呼聲:

『幫助奴隸啊!

反對强盜,皇帝,富人,

反對一切壓迫人的人們,

幫助一切被壓迫的人們!』

又接繼着道:

讓那書在灰堆中燃燒着,

讓那十字塔的寶石

碎成片片,

好做成一些新工具.

讓那人們爲着羣衆的自由,

捐棄了生命,

在那牢獄內,槍頭上,

高呼着自由死。

讓那在得勝奔放的潮流中,

一些搶掠,野蠻,虛僞,

偷偷地逃去!

讓他去!

這是說不但要把資產階級的社會組織打碎,並且要把一切反革命的文化寄托的東西——哲學,美術以及傳播這種思想的機關——都要消滅,因爲:

破壞舊的,新的就昂起了;

(113)

打碎鎖環,自由來就到了.
拋去那一切舊的,——
不中用的,殘忍的,
我們的精神就暢快了.——暴動.

這是我勸光慈同志發表他的新夢集第六種意思。

還有一層危險,就是革命以後,大家都跑到權利的地位,忘了自己的階級,像辛亥革命以後的同盟會一樣,生活的條件一變動,革命性一消失,共產主義仍是飄浮在雲霧中,無從實現,無從鞏固. 光慈同志在他的一個從紅軍退伍歸農的兵士那首詩說道:

放下槍頭,
拿起鋤頭,
從槍頭上奪得自由,
從鋤頭上要栽培這自由,
啊,自由!自由!

(114)

昨日的槍頭。

今日的鋤頭。

在這一節裏，有幾個重要的意義：(一)我們的革命要以農人根本覺悟做柱石的；(二)這種革命，不但要戰爭勝利，還要農業生產豐富，才可以永保勝利；(三)這種革命，只是無產階級爭自由，不是做官，發財，營求個人優越地位的勾當，所以『放下槍頭，拿起鋤頭』，實奪取政權，壓服反革命以後一個唯一的口號。

中國一般爛污軍人，有句慣用的口調，叫做『解甲歸農』，這才眞是『解甲歸農』咧！但是前者是消極的，後者是積極的；前者是功成身退，或有不得已的意思，還是封建時代的舊倫理的觀念；後者是無論槍頭鋤頭，要其志在達到共產社會的完成。這是我勸光慈同志發表他的新夢集的第七種意思。

(115)

以上所說僅就光慈同志的新夢集的思想和情感方面立論. 她的思想,是一個整個的無產階級革命的思想,有積極反抗精神的革命思想;她的情感是太陽般的熱烈的義俠的,代表無產階級的呼聲的情感. 只有這種思想,才可以掃盪中國青年委靡不振的苟偷心理,把衰弱的中華民族,從國際帝國主義的壓迫下面,舉起他的頭來;只有這種情感,才可以鼓盪那困苦無告的無產階級的勇氣,從國外資本主義國內蠻橫軍閥的重圍中殺出!

至於他的藝術如何,我不願意討論;我覺得一個人的作品,能用他的思想,情感,引起人的同情,使讀者感發興起,這便是高尚的藝術. 不過集內也有描寫的地方,我覺得不大自然的,如夢中的疑境說:

小孩子笑着,拉着我努力的走。
他說,『朋友,還想退後麼?
我們走過的路已經變成了
　　　　絕險的崖壁,
　　　　頹廢的荒邱,
我們未走過的路,那裏還是
　　　　鮮豔的紅花,
　　　　嫋滴的綠柳。
朋友!前進啊,……走!
你應當時常快樂,
同我們小孩子的心情一樣,
你更不應當退後,
因爲退後是老年人的思想。
將來的都是幸福,
過去的都是失望!』

照思想方面說來,實在不錯,不過這樣宣教師的口氣,却從一個小孩子嘴裏說出,就藝術方面看來,不能不說是失敗。

(117)

全集中類似這樣的還有,讀者當能細細地尋出。在這一點上,我實在佩服太戈爾,他那首望郵差的詩,用着小孩子的口氣,神態,從反面寫出他母親胸中無限的情思,眞是『栩栩生動』『耐人尋味』!但是光慈的夢中的疑境那首詩,是前兩年的做品,試看他今年的詩就不同了.十月革命的嬰兒一首詩裏說道:

有的問:你們中國也有皮昂涅兒麽?
有的問:你們中國還有發財的?
有的說:我們要組織皮昂涅兒的國際會;
有的說:請你回到中國去的時候,
也組織皮昂涅兒的隊伍像我們一樣的.

這樣寫法,便很自然了。唉!光慈是一個熱烈的青年詩人!我拿太戈爾和他相提並論,無論照那方面說,都是比擬不倫.他絕不願,且羞恥的去學太戈爾!他絕不願像太戈爾那樣看着幾萬萬印度同胞,受着英人的踐路,還拿那些『忍耐』,『精神自由』,『歐人已在我們面前求救』的鬼話來『站在左邊幫右襯』,替英人努力地消滅印度人的革命怒潮!現在又不害燥的跑到中國來了!這個老而不死的貨!我願新夢集出版,能以殺却一些那老貨所撒的霧種!我更願光慈越發努力,成就一個完全的:

『革命的詩人,

人類的歌童!』——自題小照

高語罕

一九二四,六,二二,

於德國佛蘭克佛.

(119)

自　　序

這一本小冊子是我留俄三四年中的詩集。從前我在國內時，也曾作了許多詩歌，但是隨作隨丟，現在無從收集。這一本小冊子完全沒有插入一首去國前的作品。

『詩人』這個名詞本身上原沒有什麼好壞之可言。我以爲詩人之偉大與否，以其如何表現人生及對於人類的同情心之如何而定。我們讀歌德，拜輪，海涅，惠德曼諸詩人的作品，總覺得他們有無限的偉大；但是一讀蘇東坡，袁子才諸詩人的作品，則除去吟風弄月和醞酒婦人而外，便沒有什麼偉大的感覺了。

我呢？我的年齡還輕，我的作品當然幼稚。但是我生適值革命怒潮浩蕩之時，一點心靈早燃燒着無涯際的紅火。

(121)

我願勉力為東亞革命的歌者!

俄國詩人布洛克說:

『你用的全身,全心,全意識——靜聽革命啊!』

我說:

『你用的全身,全心,全意識——高歌革命啊!』

一九二四年,三月,一日。

蔣光慈於莫斯科

下　　卷

1924——1927

餘　　痛

月光如鏡也般的明，
海面如鏡也般的平；
也沒有浪的澎湃；
也沒有風的呼嗚；
這時候坐船的人們大半都睡熟了，
也或者他們的夢鄉安穩！

同船有個王老兒，
獨自一個人夜深不睡；
我與他並倚着海船的欄杆，
他爲我述了一段自身的悲史：

「我本來是天津人，
天津城外的東郊是我的故里。
我本來也有過賢妻；
我本來也有過愛子；

（1）

我是一個農人
我本來也有過一個勞動的家室.
但是,先生,我好苦呀!
他們都在庚子年間
慘死在洋兵的手裏!
我今年已經五十八歲了,
自從他們死後——
可憐我啊! 尋食謀生,飄流異地.
唉! 好殘忍的洋鬼子!
唉! 好該殺的洋鬼子!
他們把我的全家破壞了,
他們鬧得我到這般田地!
『先生,那時候你或者還未出世,
但是,你總也聽見過罷——
拳匪之亂,八國聯軍的暴舉?
本來呢,我們是愚鈍的鄉下人,
那時候還不知道是什麼一回事.
只聽說:『中國人殺了洋人了,

洋人派來兵艦攻打了，
我們快快逃難纔好呢!』
那知洋兵來得太快了，
我們沒有跑得及.
只見那雄糾糾的洋兵
也有穿黃的，也有穿白的；
也有穿灰的，也有穿黑的；
快槍明亮亮的荷在肩上；
刺刀冷森森的掛在腰底.
他們眞是野蠻啊!
他們眞是殘忍啊!
他們任意地焚燒，
他們任意地姦殺；
被他們姦殺死了的人們，
誰個能算得有若干多寡?

『唉! 先生，不提起也罷，
提起來，我的心如刀絞；

(3)

可憐我的賢妻被他們姦死了,
我的愛子被他們殺死了;
加之我的房屋被他們焚燒了,
我的禾禾被他們踐踏了,
江河有盡頭,
山岳有限高;
可是我的哀痛啊——沒有盡頭!
我的積恨啊——比天還要高!

『先生,你道我為什麼夜深不睡?
實因為明月深宵更容易
觸起我最傷心的往事.
我的可憐的賢妻,
我的可憐的愛子;
他倆雖然死去二十多年了,
但是,我何嘗忘却了他們片時?
他們被害時的慘狀
排列在我的腦裏;

他們臨死時的哀聲
留着在我的耳裏.
我總覺得情景尙在目前,
宛如過去不久的昨日.

『先生,我是一個無能爲的人,
我的仇將無從雪報.
可是我想:洋人壓迫中國人很久了,
中國人受洋人無禮的汚辱也實在
夠了!
爲什麼到今日還在忍受?
爲什麼到今日還是顛倒?
莫不是中國該要滅亡?
莫不是四萬萬人盡是草包?
莫不是中國人有天生成的奴性?
莫不是都是無能爲的弱者
像我王老兒一樣的不好?』
王老兒說罷長嘆息,

（5）

我痴倚着欄杆凄然而無語。
雲霧忽掩遮了明月，
海浪衝破了靜寂。

九月七日

我們所愛者一定在那里

到處都密生着荆棘!
當我尋找我所愛者的時候,
荆棘拉碎我的衣襟,刺破我的身體
我眞受了無限的痛苦啊!
但是,當未尋找着我所愛者以前,
我雖忍受痛苦而不辭.

遍地都堆着糞泥!
當我找尋我所愛者的時候,
糞泥薰臭我的衣襟,汚穢我的身體,
我眞蒙了無限的羞辱啊!
但是,當未尋找着我所愛者以前,
我雖忍受羞辱而不辭.
在此密生着荆棘的世界中,
欲保持身體的安全是不可能的;
但是,倘若你畏懼而不前啊,

你將無尋找着你所愛者的一日.
在此堆積着糞泥的世界中,
欲保持身體的潔淨是不可能的;
但是,倘若你畏懼而不前啊,
你將無尋找着你所愛者的一日.

我們所愛者還是
在荆棘中藏着,
在糞泥中埋着!
努力把糞泥掃除,
努力把荆棘砍去,
朋友,你看,
我們所愛者一定在那裏!

(8)

罷　工

她往日在公司裏做工時，
臉上的顏色還覺白；
誰知歇了工作沒多時，
她的臉色就變成了灰黑。
夕陽照在她的臉孔上，
顯現出無限的悽慘與憂鬱；
她今日倚門待他好久了——
盼望他回來報告好消息。

『天已不早了，已經黃昏了，
為什麼阿毛的爸爸還不回來呢？
莫不是被山東打手打死了？
或者是被巡捕捉到巡捕房裏去？
她越想越怕越悲悽，
不禁一滴一滴地流下了酸淚！

（9）

他是這一次罷工最有力的工人，
他的主張更熱烈而堅決，
他明知道妻子在家裏哭泣，
但他任餓死也不願屈折！

他回來了，她遠遠地就問：
『爲什麽現在纔回來？
公司答應了我們的要求麽？
家中已經沒有了油，米，柴……』

他半晌不言，忽然嘆口氣：
『我們還有什麽活頭呢？
我已經吃夠了烟草灰，
我已經吸夠了烟草氣；
與其活着做資本家的牛馬，
不如死了做一個自由的鬼。』

她聽了丈夫的話，

不禁嗚咽而無語;
阿毛年小不知事,
雙手扯着媽媽衣:
『媽媽! 我眞餓了,
快給我錢買吃去!』

他看着阿毛這般更傷心,
便說:『阿毛啊! 你錯了八字!
你不投胎到有錢的人家,
偏偏生在我家裏!』

他已打定主意了,
與幾個工人相約:
倘若罷工失敗了,
一定要做死『他』兩個!

(11)

詩人的願望

願我的心血化爲狂湧的聖水
將汚穢的人間洗得淨淨地!
願我的心血化爲光明的紅燈
將黑暗的大地照得亮亮地!

願我的鮮艶的心血之花
香刺得人們的心房透透地!
願我的蕩漾的心血之聲
飛入了人們的耳鼓深深地!

十月九日

海上秋風歌

海上秋風起了，
吹薄了遊子之衣，
到處都是冷鄉呵，
我向何方歸去？

海上秋風起了，
吹得了大地蒼涼；
滿眼都是悲景呵，
望雲山而惆悵。

海上秋風起了，
吹顫了我的詩魂；
觸目頻生感概呵，
哀祖國之飄零。

一九二五，十。

（13）

懷都娘

秋風漸漸涼起來了，
使我更憶起那已到深秋的莫斯科：
樹葉想早已落盡了，
但是都娘你還是從前一樣康健麼？

『願這一張小小的畫片兒
爲你我二人永遠友愛的押禮；
維嘉！你應當常常地憶念呵！』
這是你送給我像片上的題語。

『維嘉！回到那不自由的中國去，
好好把自己的熱血攙合被壓迫人
們的酸淚！
去罷！我祝你的將來……』。
這是你當我臨行時的贈語。

(14)

當我臨去莫斯科的前一日,
在你的家裏,你斜臥在床上,
我摩着你的頭髮,伏着你的身子,
我的心做第一次最難受的戰慄.
『都娘! 我本不願墮入情海裏,
但是現在我不能自持;
給我一個溫柔安慰的蜜吻罷!
此生我將長念而永憶.』
我大胆地向你哀說了,
却又怕聽着你的答語.
『維嘉! 你是個好孩子,
我眞正地愛你且明白你;
但是我倆不過是朋友啊,
我們不必過於悲哀……分離……
你盼望着你的將來罷,
那將來可以使你愉快而欣喜.』
你竟笑嘻嘻地給了我溫柔安慰的

蜜吻,
你竟很暢達地給了我溫柔安慰的
答語;
你所給我的眞是無量啊!
此生我將長念而永憶.

你常爲我唱革命之歌,
你的歌聲悲壯而蒼涼;
你常爲我唱失戀之歌,
你的歌聲哀婉而悠揚,
但是現在我聽不着你的歌聲了,
空向那渺無涯際的雲天悵望!

秋風漸漸涼起來了,
使我更憶起那已到深秋的莫斯科:
樹葉想早已落盡了,
但是都娘你還是從前一樣康健麽?
一九二四年七月

我是一個無產者

朋友們啊!

我是一個無產者

除了一雙空手,一張空口,

我連什麼都沒有.

但是,這已經夠了——

手能運動飛舞的筆龍,

口能做獅虎般的呼吼.

朋友們啊!

我是一個無產者;

我既然什麼都沒有,

我怎顧惜人們所有的一切?

破壞——徹底地破壞罷!

我願意造成一個『大家無』的,

同時也就是『大家有』的世界.

(17)

朋友們啊!

我是一個無產者;

有錢的既然羞與我爲伍,

窮人們當然要與我交悅.

我的筆龍能爲窮人們吐氣,

我的呼吼能爲窮人們壯色.

啊! 我是一個無產者!

朋友們啊!

我是一個無產者,

我知道無產者的命運是悲哀的,

所以我咀咒有產者野蠻而惡劣.

我要聯合全世界命運悲哀的人們,

從那命運幸福的人們之寶庫裏,

奪來我們所應有的一切!

十月革命節後一日

哀中國

我的悲哀的中國!
我的悲哀的中國!
你懷擁着無限美麗的天然,
你的形像如何浩大而磅礴!
你身上排列着許多蜿蜒的江河,
你身上聳峙着許多鬱秀的山岳.
但是現在啊,
江河只流着很嗚咽的悲音,
山岳的顏色更慘淡而寥落!

滿國中外邦的旗幟亂飛揚,
滿國中外人的氣燄好猖狂!
旅順大連不是中國人的土地麽?
可是久已做了外國人的軍港;
法國花園不是中國人的土地麽?
可是不准穿中服的人們遊逛.

(19)

哎喲! 中國人是奴隸啊!
爲什麽這般地自甘屈服?
爲什麽這般地萎靡頹唐?

滿國中到處起烽烟
滿國中景象好凄慘!
惡魔的軍閥只是互相攻打啊,
可憐小百姓的身家性命不值錢!
卑賤的政客只是圖謀私利啊,
那管什麽葬送了這錦秀的河山?
朋友們,提起來我的心頭寒,——
我的悲哀的中國啊!
你幾時纔跳出這黑暗之深淵?

東望望罷,那裏是被壓迫的高麗;
南望望罷,那裏是受欺陵的印度;
哎喲! 亡國之慘不堪重述啊!
我憂中國將淪於萬刧而不復.

(20)

我願跑到那崐崙之高巔,
做喚醒同胞迷夢之號呼;
我願傾瀉那東海之洪波,
洗一洗中華民族的懶骨.
我啊! 我羞長此沉默以終古!

易水蕭蕭啊,壯士吞仇敵;
燕山巍巍啊,嚇退匈奴夷;
回思往古不少轟烈事,
中華民族原有反抗力.
却不料而今全國無生息,
大家熙熙然甘願為奴隸!
哎喲! 我是中國人,
我為中國命運放悲歌,
我為中華民族三嘆息.

寒風凜冽啊,吹我衣;
黃花低頭啊,暗無語;

(21)

我今枉爲一詩人，
不能保國當愧死！
拜輪曾爲希臘差，
我今更爲中國泣。
哎喲！ 我的悲哀的中國啊！
我不相信你永沉淪於浩规，
我不相信你無重興之一日。
十一月二十一日

單戀之煩惱

一個很自由的蜜蜂，
本欲做飄然無戀的遊子；
不知被一陣什麼風，
吹到與一朶玫瑰花相遇.
玫瑰花的麗色射得他的雙目暈眩，
玫瑰花的香氣薰得他的心靈沉醉，
他不能自主了，
他失去自由了，
他願永遠爲玫瑰花的伴侶，
願永遠臥在玫瑰花的心裏.
但是奈何玫瑰花，
只是照常地開着，
只是照常地香着，
有情無情地不理？
他繞着玫瑰花飛着，飛着，飛着，
他向着玫瑰花望着，望着，望着，

（23）

但是飛着是空飛着啊!
望着也總是空望着啊!
奈何玫瑰花毫不覺識!
奈何玫瑰花毫不注意!
他幾番欲大胆地向玫瑰花哀祈,
表示自已無限的鍾情難於自已;
可是他是一個弱者啊!
他不敢向玫瑰花啓齒;
他恐怕惱怒了玫瑰花,
自己更要不安而無趣.
他想飛入玫瑰花的心房,
一嘗嘗那仙露也不如的香蜜;
但是玫瑰花身有香刺啊,
刺了後豈不永遠要留一痛跡?
他想雖然被玫瑰花刺了,
若能嘗到那香蜜的滋味,
則也就願意忍受痛苦了,
只要痛苦能取得來安慰!

可是他終是一個弱者啊!

他終不敢向玫瑰花啓齒;

他恐怕惱怒了玫瑰花,

自己更要不安而無趣.

於是他煩惱,

煩惱得不已……

十二月四日,

耶穌頌

反抗是罪惡，
奴隸要服從主人；
奴隸不應有二心，
主人甚事都可能.
耶穌呀!
這是你的偉大的教條呀!
阿們!

窮富由天定，
窮人不應恨富人；
富人日日食粱肉，
窮人餓死無人問.
耶穌呀!
這是你的無涯的博愛呀!
阿們!

忍耐是良方,
死後可以上天庭;
天庭享樂是眞的,
地下受苦要甚緊?
耶穌呀!
這是你所賜與的安慰呀!
阿們!

遍地是血痕,
强者犧牲弱者命;
世界變成屠場了,
黑暗遮蔽了光明.
耶穌呀!
這是你的偉大的神力呀!
阿們!

一九二四聖誕節.

(27)

過　　年

四五年來我作客飄零,
什麽年呀,節呀,縱不被我忘却,
我也沒有心思過問.
我已成爲一天涯的飄零者,
我已習慣於流浪的生活!
流浪罷,我或者將流浪以終生!

今年我從那冰天雪地之邦,
回到我悲哀的祖國之海濱.
誰知海上的北風更爲刺骨,
誰知海上的空氣更爲寒冷;
比冰天雪地更慘酷些的海上呀!
你逼得無衣的遊子魂驚.
看着那街道兩邊扎了許多彩門,
看着那送禮的人們來往不停;
看着那些商店貼着新年的廣告,

我總覺得光陰眞快——一年又盡!
老爺,少爺,小姐,太太歡樂新年到了,
但是如何呢,我和那一些窮苦的朋
友們?

過年啊,我今天也來過個窮年,
且把一些紛亂的愁情拋開凈盡.
我跳上電車坐到先施公司門口,
在噪雜的聲中我買了啤酒一瓶;
更順便在小舖裏買了兩包花生,
哦,這已經辦好了過年的佳品.
第一杯酒祝福我親愛的父母,
哦,多年未見面的雙親!
我親愛的年老的父母呀!
祝你倆莫要念我,祝你倆康寧.
請你倆寬恕你倆的流浪的兒子,
他已多年未來家溫親定省.

(29)

第二杯酒祝福我悲哀的祖國,
哦,可憐的悲哀的愛人!
可憐的而可愛的祖國呀!
祝你莫要頹唐,祝你夢醒.
你應當有重興復振的一日,
你要變成萬花異錦的春城。

第三杯酒祝福全世界窮苦的兄弟,
哦,與我同一命運的人們!
窮苦而受壓迫的兄弟呀!
祝你們莫要屈服,祝你們革命.
世界應爲我們所佔有了,
來!來同我打破這黑暗的囚城!

第四杯酒祝福飄零流浪的我,
哦,一個不合時宜的詩人!
飄零流浪的我呀!
祝你飄零流浪,祝你狂吟.

你要把你的血液噴成長江大海,
你要將你的聲音變爲響雷怒霆,
一九二四,十二,三一。

給——

有一日我看見你,姑娘,
你與你的姊姊說了幾句,
似覺有什麼冤屈也似地,
你就因之低頭而哭泣;
姑娘啊!你知道我當時怎樣難過麼?
我儘找儘找,總找不出安慰你的話
語;
我想將你抱到我的懷裏,
哀求你向我訴一訴哀曲;
用舌餂乾你的明珠般的淚痕,
用手撫摩你的溫柔細膩的玉體;
使你聽到我的心如何為你而跳悸,
你或者因之減少點悲感;
倘若你的悲感減少了,
我就代你悲感也是願意的。
但是姑娘,當你未允許我的時候,

我又怎敢將你懷抱呢!

有一日你看見我,姑娘;
你就掉過臉兒廻避,
似覺有什麽怨我也似地,
真教我摸不着頭緒,
姑娘啊!你知道我當時如何悵惘麽?
我儘想儘想,總想不出什麽時候得
罪了你;
我想雙膝跪在你的面前,
哀求你向我說個所以;
就使我有什麽不好的地方,
姑娘,你儘可打我幾下,駡我幾句,
我都可以歡喜地忍受啊,
爲什麽只這般見我不理呢?
我情願將我的心拿給你看看,
使你知道牠是不是爲着你的.
但是,姑娘,當你未允許我的時候,

我怎敢在你面前跪下呢?

有一日我送你回去,姑娘,
我怕你一人走路有點孤寂,
在路中你總緘守着沉默,
我說三句,你只懊惱地回答一句;
姑娘啊!你知道我當時如何煩悶麼?
我儘猜儘猜,總猜不出你的心事;
我想大胆挽夾着你的玉臂,
問問你爲什麼這般不懌;
倘若你有什麼討厭我的地方,
姑娘,你不妨向我說得清清楚楚地;
我的靈魂已被你拿去了,
你對我還用着什麼意氣呢?
你可憐我一些兒罷!
我已經爲着你腸廻而心碎.
但是,姑娘,當你未允許我的時候,
我怎敢將你的玉臂挽夾呢?

有一日我想起你,姑娘,
我不禁滴下幾點眼淚,
我眞是再傷心沒有了!
爲什麼我得不到你的歡喜呢?
姑娘啊!你知道我怎樣爲你憔悴麼?
你一眼一笑,你的一切都令我心醉;
我想大胆地向你哀訴,
我是如何如何這般這般地愛你;
倘若你聽了我的話之後,
你就慨然承諾或笑而不語,
那我就永遠不希望別的幸福了,
因爲你已給了我比一切貴重的東
西;
姑娘,你堅信地愛我罷!
我是世界上第一個愛你的.
但是,姑娘,當你未允許我的時候,
我又怎敢向你哀訴呢?

一九二五,一,二二,

(35)

❀ ❀ ❀

也或者你太過於豐艷了,
我沒有被你愛的福氣;
姑娘,請你寬恕我罷!
我願永遠地將你忘記.

蜜蜂有意地飛到玫瑰花前,
本願誠意地表示心中的愛戀,
可是她既然不願領受了,
蜜蜂又何必煩惱而盤旋!

惹人的春風總是緩緩地吹,
我的心兒總是躍躍地動;
姑娘,我雖願意忘記你,
但是我懷着無涯的隱痛!

夕陽還有戀着芳草的柔情,

朝霞也得在海波中遺留片影;
但是我在你的心中啊,
是否也會印了一點兒斑痕?

姑娘,你是一個有福氣的,
你怎能愛戀到這個無福氣的我?
我知道你難於了解我,
但是這個不了解啊,好生敎我難過!

姑娘,你是一個有福氣的,
你絕不會愛戀到這個無福氣的我;
我現在願意將你忘記了,
但是這個忘記啊,敎我好生難過!

一九二五,二,四.

哭孫中山先生

這轟動聲是泰山的傾跌?
這澎湃聲是黃河的破裂?
喊!在中華民族命運的悲哀裏,
我又要哭先生到淚盡而力竭!

我只道微小作祟的病魔
怎敵得科學的萬能和先生的壯氣;
我只望先生在最短的時間健起,
好領導這痛苦的民衆奮鬥而殺敵.

又誰知病深時科學也不能爲力,
又誰知先生竟一病而不起!
嗚呼!在萬人希望和禱告的聲中,
先生…先生…你今居然死矣!

舉國屈服於外力的壓迫下,

舉國呻吟於軍閥的殘暴裏，
先生！惟有你做民衆的先鋒，
惟有你雖經百撓而不屈。

神州遍流着漫天的洪水，
中華民族眼看將沉淪而不起；
先生！惟有你以救亡爲己志，
惟有你數十年奔走革命如一日。

我去年在莫斯科哭列甯的淚還在濕，
不料今日又將此淚來痛哭你！
我哭列甯因他爲無產階級的首領，
我哭你因是中華民族的導師。

我相信中華民族終有重興之一日，
我相信你的精神將永存在民衆的心靈裏；

(39)

縱讓那惡魔一時地得意而歡騰,
先生呵!你的墓上之花終久是要芬
芳的!

這轟動聲是泰山的傾倒!
這澎湃聲是黃河的浪滔!
先生!但願你這一死去
永把中華民族的迷夢驚醒了!
一九二五,三,十三。

血花的爆裂

青島的日本資本家殺死我們中國工人,
上海的日本資本家繼續着起來響應,
上海的英巡捕更殺傷我們無數的學生;
殺罷,
殺罷,
盡量地殺罷!
你帝國主義的惡賊呀!
你慘無人道的猛獸呀!
反正你們愛魚肉弱者呵,
請把這四萬萬人殺盡罷!

望雲山呵我涕淚飄零;
想國事呵我滿腔羞憤;
聞惡耗呵我幾昏暈。
祖國呀,
祖國呀,

(41)

我悲哀的祖國呀!
你快興奮起來罷!
你快振作起來罷!
你豈眞長此地顛倒,
永遠地——永遠地受人蹂躪嗎?

强暴未剷除時那裏有什麽世界和平?
弱者未昂起時那裏有什麽人道良心?
自身未强固時向人家說什麽博愛平等?
中華民族呀,
中華民族呀,
我親愛的中華民族呀!
你速醒漫漫的迷夢罷!
你速救自己的命運罷!
人家一個一個快把我們殺完了,
我們還能伸着頸子搖尾乞憐嗎?

祝你因反抗而被殺的死者,

祝你因爭自由而被殺的死者，
祝你一切爲先鋒的犧牲者！
死者呀，
死者呀，
光榮的死者呀！
你們的頭顱已如砲彈的炸發，
你們的血液將灌出鮮艷的紅花。
讓將來脫去一切壓迫的人們，
把你們的墳墓算爲自由的搖籃罷！

起來罷，我們爲中華民族的大暴動！
起來罷，我們把帝國主義的權威斲送！
起來罷，我們將祖國的敵人滅種！
殺罷，
殺罷，
盡量地殺罷，
我中華民族的健兒呀！
我中華民族的勇士呀！

(43)

不自由無寧死呀!

殺,殺,殺,殺,殺……………

一九二五年六月二日

我要回到上海去

我要回到上海去,

我與上海已有半年的別離

這半年呵! 我固然奔波瘦了。

上海的景象也有許多更移的。

我要回去看一看——

牠是否還像我的舊遊地。

聽說南京路堆滿了許多殷紅的血跡,

聽說英國人槍殺中國學生工人當玩意;

我要回去看一看——

上海人究竟還有多少沒有死;

那殷紅的血跡是否已被風雨洗了去,

那無人性的槍聲是否還是拍拍地不止。

聽說我的許多朋友入了監獄,

聽說有許多熱烈的男兒憤得投江死。

我要回去看一看——

他們究竟沒有受傷的還有幾;
乘空問一問他們那槍彈是什麼味,
他們未被打斷的還有幾條腿。

聽說上海大學被洋兵佔了去,
聽說我的學生被稱為過激;
我要回去看一看——
我教書的老巢是否還如昔;
那學生被驅逐了向何處去,
那洋兵是不是兇狠的狗彘。

我要回到上海去!
我要回到上海去!
我要回去看一看——
那黃浦江的水是否變成了紅的;
那派來屠殺的兵艦在吳淞口一來一往
　　的,
我要數一數牠們到底有多少隻。

我要回到上海去!

我要回到上海去!

我要回去看一看——

那紅頭阿三手裏的哭喪棒是否還是打
　　人不顧死;

那一些美麗的,美麗的外國花園,

是否還是門口寫着中國人與狗不準進
　　去。

我要回到上海去!

我要回到上海去!

我要回去看一看——

那些被難烈士的墳土是否還在濕;

乘空摸一摸未死人的心上是否還有熱
　　氣,

或者他們還是卑劣的,卑劣的如豬一般
　　的睡。

(47)

我要回到上海去,
我與上海已有半年的別離;
這半年呵! 我固然奔波瘦了,
上海的面目難道還是從前一樣的?
我要回去看一看——
牠是否還像我的舊遊地。

一九二五,九,十二,於北京旅次。

北　京

北京,北京是中國的首都,
這裏充滿着冠冕的人物;
我,我是一個天涯的飄泊者,
本不應在此地徊徘而踟躕。

從前我未到北京,
聽說北京是如何的偉大驚人。
今年我到了北京,
我飽嘗了北京的污穢的灰塵。

這裏有紅門綠院,
令我想像王公侯伯的尊嚴;
這裏有車馬如川,
令我感覺官僚政客的醜顏。

東交民巷的洋房巍然,

東交民巷有無上的威權。
請君看一看東交民巷的圍牆上，
那裏有專門射擊中國人的砲眼。

中央公園在北京中央，
來往的人們都穿着綺𧙕羅裳；
請君看一看遊客的中間，
找不着一個破衣襤褸的兒郎。

北京的富家翁固然很多，
北京的窮孩子也真不少，
請君看一看洋車隊伍的中間，
大半都是窮孩子兩個小手拉着跑。

北京，北京是中國的首都，
這裏充滿着冠冕的人物；
我，我是一個天涯的飄泊者，
本不應在此地徘徊而踟躕。

從前我未到北京,
聽說北京是如何的繁華有趣;
今年我到了北京,
我感覺着北京是灰黑的地獄。

這裏有惡浪奔騰,
衝激得我神昏而不定;
這裏又暮氣沉沉,
掩襲得我頭痛而心驚。

一九二五,八,二八,於北京旅次

我背着手兒在大馬路上慢踱

我背着手兒在大馬路上慢踱,
我兩耳所聽的,兩眼所見的,
硬湧得我腦海起了波浪的騰沸.
哭好呢? 笑好呢? 如何表示我的感受
　　呢?

汽車的吼叫聲,電車的空洞聲,
馬蹄聲,嘈雜聲,混合的霹靂聲,
這樣聲,那樣聲,那樣聲,這樣聲………
似覺這巍然的大城呵在呼鳴。

這富麗繁華的商店,這高大的洋房,
這脂粉的香味,這花紅柳綠的衣裳,
這外國人的氣昂昂,這紅頭阿三的哭喪
　　棒,
這應有盡有無色不備的怪現象……

多少錢? 幾扎洋? 幾個銅板買一鎊?
六個銅板太費了,這哪能要八扎洋?
唉! 這裏洋,那裏洋,洋! 洋! 洋!
人們的心靈是沒有了,因爲金錢將牠斲
　　喪。

這些面紅齒白的美麗的姑娘,
我上前與她們認識罷,呵,莫狂妄!
美人是要闊人陪伴着的.
但是我呵,我是一個流浪的兒郎。

這是些行走的死屍,污穢的皮囊,
這是些沉淪的螞蟻,糊裏糊塗地擾攘,
這是些無靈魂的蠕動,渾沌的慘象,
我皺了眉低了頭這般那般地思想:

倘若我有孫悟空的金箍棒,

(53)

那末我將趕他們到東海裏去洗一洗;
倘若我有觀世音的楊柳枝,
那末我將洒甘露驅散掉這些塵氛濁氣。

倘若我是一個巨大的霹靂,
那末我將震醒他們的夢寐;
再不然倘若我是一把烈火,
我也可以燒盡一切不潔的東西。

在 黑 夜 裡

——致劉華同志之靈——

1

我還記得我初次遇見你,
在一間窄小不明的亭子間裏;
那時人是很有幾個呵,
但我不明白我爲什麽只驚奇地,
對於你,對於你一個人特別注意。

那時你穿的灰痕點點的老布長衫,
你的頭髮蓬鬆着似許久未進理髮店;
但是你那兩隻大眼放射着勇敢的光明,
你的神情證明你是一個英武的少年,
這敎我暗地裏時向你瞟眼偷看。

我們先談一些政治,戀愛,東西南北天,

後談到一個正題……怎麼幹?
你說,"不要緊,我去,我當先
反正我這一條命是九死餘生的了;
為自由,為反抗而死的畢竟是好漢!"

你又說,"黑夜總有黎明的時候,
我不相信正義終屈服在惡魔手!
我只有奮鬥,因為我什麼都沒有……"
你的話如火焰一般的熱烈,飛流,
你的心,你的心呵,任冰山也冷不透!

2

有一次晚上我提筆擬寫一"篇哀中國"
我伏在棹上總是遲遲地不忍下筆寫。
我又想像我們現居的這一個世界,
是一個黑暗沉沉,陰風慘厲的永夜;
雖然永夜終有要黎明的時候,
但是當東方未曙,朝霞未白的以前呵,
這地獄的生活如何能令人消受得?!

(56)

這個當兒門咋呀一聲,你進來了,
一個兩眼閃灼神氣英武的少年;
一時間我畏敬地向你看,"朋友,
你手裏拿的這一捲是不是傳單?"
"是呵,我們又要將血戰……明天……"
你逼我對於你起一種深沉的感覺,
你——一個偉大的戰士立在我面前!

雙十節起了暴雨狂風,
天妃宮內濺滿了鮮紅的血痕;
在"打倒軍閥,打倒帝國主義"的聲中
可惡的惡賊呵!把忠誠的黃仁送了命。
你也是這一天應被犧牲的一個呵,
但你只挨幾個老拳,總算僥倖,
總算給你了再活過一年的光陰………

3

你嘗為我述自己飄泊的歷史;

(57)

你說你是無產者——從頭算到底。
你也曾當過兵士,赴過前敵;
領略過那子彈在頭上紛飛的味;
你也曾做過苦工,受過凍餒,
深知道不幸者的命運是痛苦的。

你說,"就是現在當我讀書的時候,
也總未曾過過一天幸福的日子!
今天麵包,明天衣服後天書籍……
我縱刻苦用功又哪能安心呢?
唉! 朋友,我要復仇,我要反抗,
我與這黑暗的社會呵,誓不兩立!"

唉! 若說人間尚有正義,
爲什麼惡者歡歌而善者哭泣?
爲什麼逸者奢淫而勞者凍餒?
難道說這都是上帝所註定的?
劉華呵! 你是不幸者的代表,

你是上帝的叛徒,黑暗的勁敵!

4

你有領袖的天才,指揮的能力,
你毅然獻身於工人的羣衆裏;
數萬被外國資本家的虐待者,壓迫者,
慶幸呵,得了一個光明的柱石。

顧正紅的慘死鼓動了熱潮,
南京路的槍聲,呼號,血濺,鬧不分曉;
就是黃浦江呵也變了紅色,
就是這偉大的上海呵也全被殺氣籠罩
了。

你領着數萬被壓迫者尋找解放的路,
努力爲自由,人權,正義而奮鬥;
我想像你那奔馳勞苦的神情,
唉!我只有一句話,"偉大呵,你的身
手!"

但是友人和仇敵是不並行的,
光明哪能不受黑暗的侵襲?
於是他們,被壓迫者的仇敵,
一定要,唉! 一定要殺死你……

5

陰雲遮蔽了光明的太陽,
在北風飕飕的靜安寺路上,
一個剛出病院的少年行走着,
我們還可看出他的脚步蹌踉樣;
行走着,行走着,俯頭在思量,
忽然圍上來幾個紅頭阿三,荷着槍,
還有兩個中國狗仔把手銬獻上:
"走! 走! 走!
巡捕房,巡捕房,巡捕房……"

工作太勞苦了,你便進了病院;
"罪過"太犯大了,你便入了監獄;

呵！ 朋友，什麼病院，監獄—— 一樣，
在惡魔橫行的時候橫豎無處是安樂地！
到處是黑暗，是荆棘，是囚城，
不奮鬥便有死—— 哪裏是逃跑的道路
　　呢？
你當時高亢地說，"去就去，
到巡捕房裏去，到巡捕房裏去呵……
且看你們這些惡鬼將我如何處治。"

帝國主義者的惡毒，資本家的錢，
軍閥的槍，結合起來打成一片，
於是在黑夜裏，在霜風怒號的聲中，
結果了，唉！ 結果了一個爭自由的少年！
四個穿黑衣的警察，一個巡官，
如陰鬼一般將你偷偷地探出荒原，
先脫下了你的衣服，然後啪地一聲，
唉！ 完了，完了，完了呀！
你永遠地—— 永遠地拋却了人間！

天空中的星星兒亂閃淚眼;
黃浦江的波浪兒在嗚咽;
這時什麽人道,正義,光明—— 不見面,
但聞鬼哭,神號,風嘶,夜鳥在哀怨!
唉! 我的朋友,我的同志,我的戰士,
你未在天妃宮內公然被走狗們打死,
你未在南京路口被鎗殺在羣衆前,
但在黑夜裏被劊子手偷偷地處死,——
我知道你雖死了,你的心不眠。

6

我待要買幾朵鮮花獻給你靈前,
盡盡生前同志的情誼—— 痛哭一番;
但誰知你死去屍身拋在何處,
在叢亂的野塚間抑在無人可尋的海邊?
或者在黃浦江中已葬了魚腹?
或者在那野僻的荒丘被野獸們飽饜?
哎喲! 我的朋友呵! 你死了,

但你死了這樣慘……慘……慘……

數萬工人失了一個勇敢的領袖,
現在也同我一樣揮着熱淚哭;
在他們那潔白的心房內,簡單的想像中,
這巨大的悲哀將永無盡頭。
唉! 我的朋友,我的同志,我的戰士,
你雖死了,你雖慘死了,
但你的名字在人類解放的紀念碑上,
將永遠地,光榮地,放射異彩而不朽。

一九二五,十二,二一。

血　祭

在此慘淡的今日,在此不可忘却的今日,
我的心靈上起了千萬層悲痛和羞憤的
　　波紋;
我欲哭無淚,我欲號無聲,我欲殺又無兵
　　刃,
我只有深深地悲痛,深深地羞憤! 羞憤
我憶起來南京路上的槍聲,呼號,痛跡,
和那沙基的纍纍的積屍,漢江的殷紅的
　　血水,
一切外國强盜向我們所施的殘暴,無理
　　………
我就是叫我全身不戰慄,唉! 又怎麽能
　　夠呢?。

說什麽和平正義,說什麽愛國要守秩序,
等我們都被殺完了,還有向劊子手講理

的機會?

可憐的弱者呵,受人汚辱踐踏的羣衆呵,

醒醒罷! 須知公理對於弱者是永遠沒

有的!

頂好敵人以機關槍打來,我們也以機關

鎗打去!

我們的自由,解放,正義,在與敵人鬥爭裏。

倘若我們還講什麼和平,守什麼秩序,

可憐的弱者呵,我們將永遠地—— 永遠

地做奴隸!

血衣亭中懸掛着許多件令人傷心慘目

的血衣,

烈士墓前空擺着許多花圈,石碑和奠禮,

我們的仇還未報,我們的寃還深沉在海

底,

我們如何對此今日的去年,去年的今日?

在此慘淡的今日,在此不可忘却的今日,
我的心靈上起了千萬層悲痛和羞憤的
　　波紋;
我欲拿起劍來將敵人的頭顱砍盡,
在光榮的烈士墓前高唱着勝利的歌吟。
　　　　　　五卅流血週年紀念日

鴨綠江上的自序詩

我曾憶起幼時愛讀游俠的事跡，
那時我的小心靈中早種下不平的種子；
到如今，到如今呵，我依然如昔，
我還是生活在令人難耐的不平的空氣
　　裏。

我也曾愛幻游於美的國度裏，
我也曾做過那溫柔的蜜夢，
我也曾願終身依傍着花魂，
撫摩着那仙女的玉膩的酥胸………

但是到如今呵，消散了一切的幻影，
留下的只有這現在的，眞實的悲景！
我願閉着眼睛追尋那仙女的歌聲，
但是我的耳鼓總爲魔鬼震動得不寧。

(67)

是的,我明白了我是爲着什麼而生存,
我的心靈已經被刺印了無數的傷痕,
我不過是一個粗暴的抱不平的歌者,
而不是在象牙塔中漫吟低唱的詩人。

從今後這美妙的音樂讓別人去細聽,
這美妙的詩章讓別人去寫我可不問;
我只是一個粗暴的抱不平的歌者,
我但願立在十字街頭呼號以終生!

朋友們,請別再稱我爲詩人!
我是助你們爲光明奮鬥的鼓號,
當你們得意凱旋的時候,
我的責任也就算盡了………

一九二六,十,二八。

寄　友

親愛的朋友呵,我願在你的面前說一說
　　我的悲憤;
你縱是會想,你也想不到我近來是如何
　　的心情!
我與你臨別時,我說我暫時離開上海——
　　黑暗的死城,
我說我要到黃鶴樓頭聽聽那漢江上革
　　命的歌吟。

我說我們不要失望,我們要堅持着忍耐
　　的精神,——
黃浦江中曾泛濫着血水,而漢江中的熱
　　浪還是在奔騰;
我們的勝利終將不遠,也許在六月的荷
　　花時分,
我們一定可看得見不久要恢復上海,佔

領南京……

但是到而今呵,我不能證明我的預言確
而可信,
我報告你,我的朋友呵,也許你要感覺着
不幸:
漢江的熱浪並不是如你我所想像的那
般樣高,
此間的革命黨人也並不都是眞爲着民
衆而革命。

瀟湘的淒風苦雨在哭泣,哭泣那屍横遍
地;
武勝關外累累的土堆要爆起,那裏埋藏
着萬千的冤鬼;
只道是民衆要興起,只道是爲革命而戰
死,
又誰知興起了反遭屠殺,戰死了一無所

得呢?

朋友,我覺悟了,什麽黨權,左傾……這都
　　是空語,
今日是革命黨人,明天他就可以露出兇
　　狠的面皮;
舊軍閥會利用土匪,新軍閥却學會利用
　　民衆的勢力,
他們的本性,唉,他們的本性原來都是一
　　樣的!

朋友,我覺悟了,我們要把槍柄拿到自己
　　的手裏!
請你相信我,只有炮彈可以保障我們的
　　勝利!
我們要到軍隊中去,到軍隊中去,到軍隊
　　中去呵!
去把那鎗柄緊緊地,緊緊地拿到自己的

手裏……

在此嚴重的時期,在此危急存亡的時期
我的心靈滿充着痛苦,我的胸腔滿充着
悲憤;
我恨我是一個微弱的詩人,我的筆不能
衝鋒破陣,
但是讓我狂喊罷,跟着勇士們前進呵,前
進!

一九二七,七,於漢口。

勞工歌

誰個給大家的飯吃,給大家的酒醉?
誰個終日勞動着不息?
誰個拿着犂兒犂地?
誰個拿着鋤兒挖煤?
誰個給一些老爺們的衣穿,
自己反露着脚兒,赤着身體?

這些都是我們的勞動兄弟!
我們硬被迫着負着一擔.
我們硬被迫着閉着眼睛,
我們硬被拉〻走向墳墓去!

。　。　。

誰個天天困在勞苦的工作裏,
消磨自己的生活;
終日在汗裏作工,血裏作工,
總都是爲着別個?

(73)

太陽的熱光曬在誰人的身上?
誰個連點法律,自由都得不着?

這些都是我們的勞動兄弟!
我們的命運——奴隸的壓迫,
我們硬被迫着閉着眼睛,
任着懶惰人們的打擊!

。　。　。

誰個這樣柔順地
忍受長時間的暴虐?
並且爲着俄國"查里"的殘殺,
誰個的血如水也般地流啊!
誰個替自己造了鐵鎖?
誰個將自己兒綑束?

睜開眼兒罷,勞動兄弟!
把無意識的壓迫抛盡,
把黑夜的沉陰宣開,

排着隊伍——勇敢地前進!

。　　。　　。

我們要得着優美的部分
在這生活的宴會裏;
並且得着光明的,意志的自由,
行一個健康的得勝禮!
我們好好鍛鍊我們的犂兒,劍兒,
好同那新的生活過日子!

起來罷,勞動兄弟!
看啊!——紅霞升了,
宣開黑夜的沉陰,——
這——光明的白晝來了!
我們拿着自己的標幟——
自由的旌旗!
他照耀,如火焰一般,
震駭他的仇敵。
早晨鮮紅的霞光,

(75)

這個標幟——恐怖啊,爲着"查里"!

前進啊,勞動兄弟!

把"查里"的壓迫拋盡!

我們的眼睛放開了,

前進,前進,前進!

二,一九譯

○ ○ ○

在此世界中，
心路有兩支：
請君量智力，
到底向何之。

一爲康莊道，
寬闊復逍遙；
一些爭利者，
羣起互相撓；
生活與目的，
亂不分絲毫；
因些罪惡物，
爭鬥逞兇豪。
精神已被鎖，
生活已枯槁；
陰沉長夜裏，

黑暗嘆迢迢!

一爲狹窄道;
行人須奮勇;
精神壯健者,
方能敢衝鋒;
戰爲勞動者,
奴隸與貧窮;
挺身代伸雪,
掃盡不平種!
願做苦人友,
熱血化爲虹!

涅格拉梭夫(Negrasoff)作。

九,二一譯。

我要拚命地活着

俄國詩人布洛克作

啊! 我要拚命地活着!
一切實在的——把牠永遠保存起來,
一切無人性的——把牠人性化將起來,
一切未實現的——更把牠實現出來!

縱讓艱苦的生活之夢悶塞我,
縱讓我喘呼於此夢之中啊!
或者活潑跳躍的青年
在將來的時候這般地說我:

我們寬恕他的粗率罷,
這豈是他祕密的發動機麼?
他是光明與善的嬰兒,
他是自由的凱歌!

一二,三譯。

人生的格言

巴爾芒特著

我向自由的風問一問,
我應做甚,如何能做少年人?
遊逛的風回答我說:
"應如空中風一般的飛騰。"

我向汪洋的大海問一問,
人生偉大的格言是什麼?
響亮的大海回答我說:
"永遠做一個聲音浩壯的,像我。"

我向高照的太陽問一問,
我怎樣能比朝霞還顯得紅耀?
太陽什麼也沒回答我,
但是我的心靈却聽着了:"燃燒!"

一,三〇。

暴　動

追念威爾漢　布留梭夫著

偉大的人啊!

你穿着紅的衣,黑的衣,

暴動起來,

好一似翻天覆地;

那數千年的執權者

逃跑了,逃跑了,

不能抵禦。

啊! 暴動,

你永遠的光明,

永遠的自由,

永遠的新鮮,

好一似那深山流瀑的清水。

彈一彈

野火的流光,

(13)

好一似那飛跑的,偉大的琴絃;
在那血流的煙霧中,
追隨那羣衆的高呼狂喊:
打毀那宮殿的柱石
和那裝飾品的美術館。
恐怖遍布了,
放出自己强烈的呼聲:
"幫助奴隸啊!
反對强盜,皇帝,富人,
反對一切壓迫人的人們,
幫助一切被人壓迫的人們!"

這種强烈的呼聲,
豈麼不是眞理?
你完全呼吸着意志,
你强有權力的認識,
你——永遠是新的。

讓那書在灰堆中燃燒着，
讓那十字塔的寶石
碎成片片
好做成一些新工具。
讓那人們爲着羣衆的自由，
捐棄了生命，
在那牢獄內，鎗頭上，
高呼着自由死。
讓那在得勝奔放的潮流中，
一些搶掠，野蠻，虛僞………
偷偷地逃去。
讓他去！

破壞舊的，新的就昂起了；
打碎鎖環，自由就來到了。
抛去那一切舊的，——
不中用的，殘忍的，
我們的精神就暢快了。

(83)

啊!暴動,
睜着光亮的眼睛,
你引導人們向那自由鄉裏去。
打掃餘灰,
洗盡頹垣,
新的歌唱——
新的生活從新起。
呵!破壞呵!
我慶祝你!

二,四。

○　○　○

我的朋友,我的兄弟,疲倦的,痛苦的兄弟,
無論你是誰,都不要灰心喪氣:
縱讓這不公道和罪惡
完全佔領這淚洗的大地;
縱讓這神聖的思想被汚辱破毀,
和這無辜的血流湧激:——
信仰啊,時機到了,——瓦爾消滅,(一)
愛情終久要回轉大地的!
伊也不帶着荊冕,也不負着重擔,
也不曲着肩兒背着十字架,——
伊來到世界上全仗着自己的神力和榮
　譽.
持着閃灼命運的光輝在手裏。
世界上永沒有血淚和仇敵,
沒有無十字架的墳墓和可憐的奴隸,
沒有慘酷的窮乏,殘忍的窘迫,

更沒有殺人的刀劍,絞人的柱石。

啊,我的朋友!這是光明的將來,不是幻想,

也不是虛空的一個希望:

看啊:——罪惡已經佈得緊了,

陰沉的夜太無光彩!

人間因痛苦而疲倦了,悶塞在血液了,

哀吟於凶暴的競爭之場,——

現在向着愛情的方面走了,

向着偉大的愛情的方面走了,

且沉痛地祈禱啊,睜開眼睛盼望!……

(一) 瓦爾 Vaal 是古代多神教的神名。

俄國詩人那特孫(Nadson)著。

八,二四譯於莫斯科。